U0781480

名师开讲·答疑解惑　春风化雨·雅俗共赏

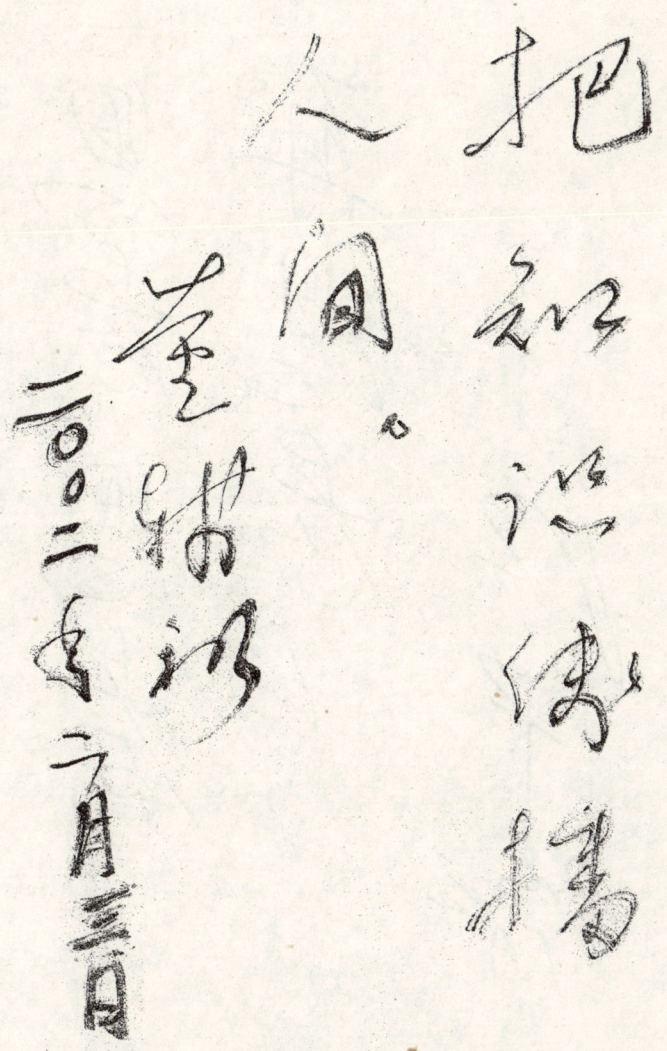

把知识传播

人间。

董辅礽

二〇〇二年二月三日

董辅礽　题

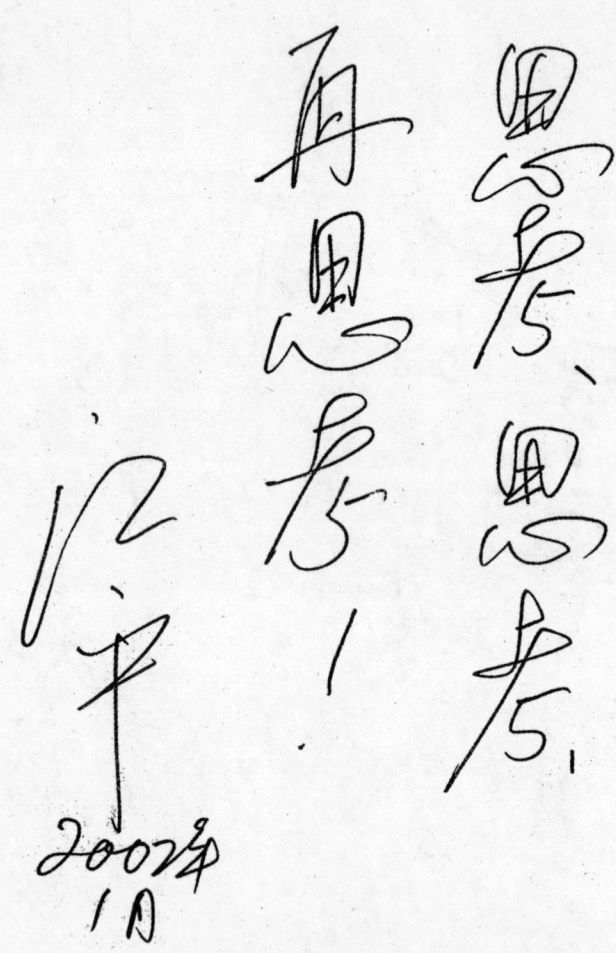

思考、思考，
再思考！

江平

2007年
1月

江平　题

讲座丛书 文津演讲录之三

獨立思考

国家图书馆 惠存　　魏明伦

二〇〇二年三月九日题

魏明伦　题

循思想自由原则

取兼容并包之义

录蔡元培先生语赠

国家图书馆分馆

陈平原 二〇〇二年 八月十三日

陈平原 题

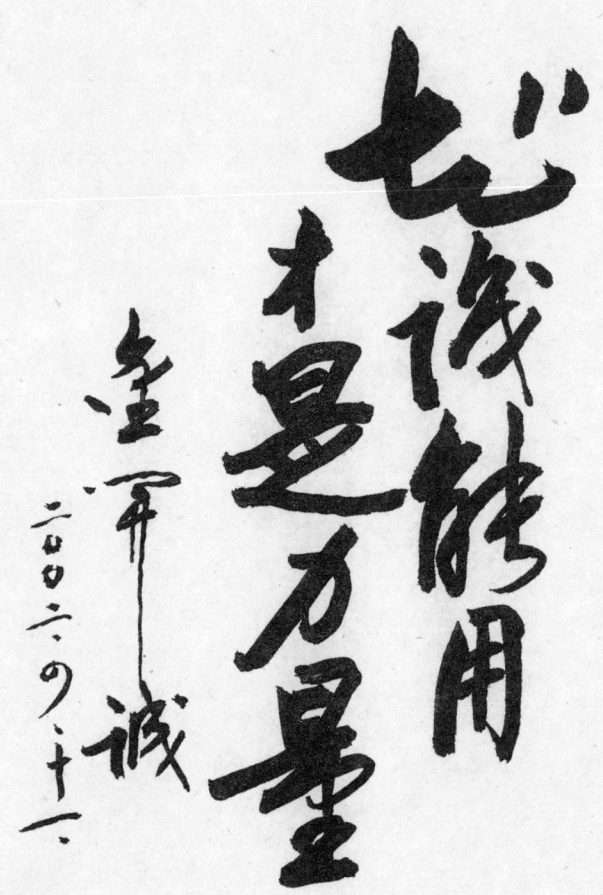

以後能用才是真才學

金开诚

二〇〇六·〇·十一

金开诚　题

讲座丛书
第一编

任继愈 主编

文津演讲录

之三

北京图书馆出版社

图书在版编目（CIP）数据

文津演讲录.3/ 中国国家图书馆分馆编 . - 北京：北京
图书馆出版社，2002.6

（讲座. 第 1 编/任继愈主编）

ISBN 7 - 5013 - 1930 - 8

Ⅰ. 文… Ⅱ. 中… Ⅲ. 名人 - 演说 - 中国 - 当代
Ⅳ. I267

中国版本图书馆 CIP 数据核字（2002）第 039534 号

书　名　文津演讲录(之三)
著　者　中国国家图书馆分馆　编

出　版　北京图书馆出版社　　(100034 北京西城区文津街7号)
发　行　(010)66126153　　传真 (010)66174391
经　销　新华书店
印　刷　北京广内印刷厂

开　本　880×1230毫米　　　1/32
印　张　8.25印张
字　数　175(千字)
版　次　2002年7月第1版 2005年4月第3次印刷
印　数　12001-14000册

书　号　ISBN 7-5013-1930-8/Z·299
定　价　20.00元

目录

1   董辅礽   发展中国私营经济问题

27   厉以宁   加入 WTO 后中国经济面临的挑战和对策

59   江 平   WTO 与中国的法制问题

89   庞 朴   说"无"谈"玄"

111   张立文   《周易》与中国文化

133   魏明伦   戏曲文学漫谈

157   陈平原   "五方杂处"说北京

179   金开诚   中国书法艺术与传统文化

199   黄晓和   苏联卫国战争时期的交响乐

221   李 瑶   七弦琴在中国历史文化中的位置

235   高登义   可爱的地球

前　言

　　国图分馆,曾经被众多的读者亲切地称之为
"老北图",在 20 世纪 50 年代,就因成功地举办
学术讲座而为社会各界人士所称道,老舍等一代
文化巨匠都曾作为这里的主讲人传道授业、答疑
解惑。2001 年新年伊始,国家图书馆分馆为继承
"老北图"的优良传统,为适应知识经济时代对图
书馆扩展文化功能,全方位、多角度传播文化信
息的客观要求,举办了以传播中华传统文化为主
旨的名人系列讲座。昔日曾亲身聆听老一辈学界
泰斗教诲的莘莘学子,如今也作为各学界的骄子
走上这神圣而庄重的讲坛。

　　一年来,我们举办了文史、政经、音乐、美术
等系列讲座共百余场,听众近万人次。从他们渴
望的目光里,我们感到了肩上的重任;从他们满
意的笑容中,我们感到了由衷的欣慰。许多专家
学者和读者通过讲座,成了图书馆的朋友,他们
对我们的工作提供了可贵的指导和无私的帮助,
而更多的人则经此渠道记住了国家图书馆,记住

了国家图书馆分馆。这是对我们工作的最大的褒奖。

为了感谢各界朋友的支持，我们选出部分讲座内容，汇集成册，系列出版，给主讲人和听讲者一个留念，给不巧未曾听讲者一份补偿，也给我们的工作一个小小的总结。

所选讲稿，主讲人多为年近古稀的学界名流、文坛泰斗。他们用毕生心血，焚膏继晷，皓首穷经，故而成绩斐然，蜚声士林。当然，这里所选的部分，并不能代表更不能涵括讲座的全部内容，而且我们自己所做的努力，在全面提高中华民族的文化水平这一宏伟大业面前，也显得微不足道。但我们坚信，只要我们锲而不舍、矢志不渝，在中国文化事业的发展史上，将会留下我们的探索足迹。

编　者

董辅礽

发展中国私营经济问题

董辅礽，研究员，教授，博士生导师，1927 年 7 月 26 日生于浙江宁波。

1946 年－1950 年在武汉大学经济系学习，毕业后留校任教。1957 年于莫斯科国立经济学院获副博士学位。同年回武大任讲师。先后担任国民经济平衡组副组长、经济研究所业务行政领导小组组长、中国社会科学院经济研究所副所长、中国社会科学院院务委员会委员、中国社会科学院研究生院副院长、中国社会科学院经济研究所所长、《经济研究》主编、中国社会科学院经济研究所名誉所长。现为中国社会科学院经济研究所研究员，中国社会科学院研究生院教授，北京大学、武汉大学、中国人民大学等校兼职教授，为中国社会科学院研究生院、北京大学、武汉大学培养博士生。

主要著作有：苏联国民收入动态分析，社会主义再生产和国民收入问题，大转变中的中国经济理论问题，论孙冶方社会主义经济理论，董辅礽选集，经济发展战略研究等等。

此外，主编或与他人共同主编书籍多本。还与英国剑桥大学 Petet Nolan 教授共同主编《中国经济研究丛书》(Studies on the Chinese Economy)。

一、为什么要发展私营经济

目前，社会上有这样三种看法，一是我国生产力落后，二是我国的生产力是多层次的，三是我国处在社会主义初级阶段。说到底这些都是用生产力的原因来解释的，因为初级阶段也是一个生产力落后的问题。这种理论实际上是想根据马克思主义基本原理来论证的，因为马克思主义原理中最根本的一条就是生产关系一定要适应生产力的性质。我们不能机械地来理解马克思的这一原理，因为马克思的这一原理是从历史的长河来考虑的，即从历史发展的长河来看，生产关系必须适应生产力的性质，但生产力与生产关系的适应关系是有弹性的，不是说某种生产关系只能机械地适应某种生产力。私营经济并不是注定只能适应落后的生产力，实际上，私营经济能容纳非常不同的生产力，它可以容纳落后的生产力，比如手工修鞋，也可以容纳非常现代化的生产力，特别是由于高新技术的发展，情况发生了很大的变化，有些职业现在不需要集中来做，个人也可以在家里做，比如买台电脑在家就能工作。

如果认为允许私营经济的存在和发展是由于我国的生产力落后，或者说，由于我国现在还处于社会主义初级阶段，那就是说，等到将来生产力提高了，等到社会主义初级阶段过去了，我们就要重新公有化了。这个说法不对。发展私营经济的最根本的原因，我认为就是发展市场经济，因为我国试验了二十多年,苏联试验了几十年,证明计划经济不行。计划经济实际上是一个乌托邦。生产越是发达,生产社会化程度越是高,越不能实行计划经济。计划经济只能在两种情况下实行:第一,就是社会目标和需求很单一的时候可以,比如打仗,计划经济可以把资源集中起来用于战胜德国法西斯。第二,是当整个社会经济是封闭的,不与外界发生联系,实行计划经济是可以的。但这两种情况现在都不存在,一是社会目标和需求越来越多样化,人们的需求越来越多样化,在这种情况下,任何计划都不可能做到生产与需求相适应;二是经济正走向全球化,对外开放了,国际市场瞬息万变,计划经济完全不能适应。生产社会化程度越高,经济越开放,经济全球化越是发展,越不能实行计划经济,所以我说它是乌托邦,失败是必然的。现在看来,市场经济是人类历史上最伟大的一个发明,虽然市场经济有这样那样的失败,但是到现在为止,我们还没有找到第二种配置资源的方式比市场经济更有效,更好。而要发展市场经济,就必须发展私营经济,因为没有私营经济就不会有市场经济。从历史上看,市场经济就是在私营经济发展过程中逐渐形成和发展起来的。市场经济是随着市场交换的发展而形成的。而市场交换,据马克思所说,必须有两个条件,第一,社会分工,第二是私有制。没有社会分工当然就不会有交换,但即使有社会分工,而没有私有制,也没有交换,因为交换是一种不同所有者之间的商品所有权的转移,通过交换,你的商品变成了我的商品,我的商品变成了你的商品。正是因为交换双方是不同的所有者,他们之间才有了交换。单一的公有制不会有市场经济;如果单一的公有制能产生市场经济,我们早就有市场经济了,就不用改革了。因为在单一公有制下所有者是一个,就不会有真正意义的市场交换,所以公有制基础上不会有真正意义的市场交换,在这个基础上也不可能有市场经济。而要发展市场经济就必须发展私营经济。没有私营经济不可能建立和发展市场经济,反过来说,没有市场经济也不会有私营经济。历史上是这样,现实情况也是这样。只要到各地走走,什么地方市场经济发达,你不用问,那个地方一定私营经济发达,什么地方私营经济不发达,你不用问,那个地方国有经济一定发达。所以私营经济与市场经济的发展是共命运的。到现在为止,我们还没有看到另一种配置社会资源的方式比市场经济更有效。所以在社会主义初级阶段以后,同样要由市场经济来配置社会资源,那时,我们同样要有私营经济。认为发展私营经济是由我国的生产力落后,由我国处于社会主义初级阶段决定的,这种看法只能为有些人提供一种论据,即计划经济不是不好,而是实行得太早了,因为过去生产力不发达,生产社会化程度不高,那时实行计划经济不具备条件,将来生产力发达了,生产社会化程度提高了,社会主义初级阶段过去了,我们就要重新实行计划经济。这个说法显然是不对的。因为生产力越发达,生产社会化程度越高,经济全球化越是发展,就越不能实行计划经济,计划经济是一种乌托邦。

二、是"消灭"私有制还是"扬弃"私有制

"消灭"私有制是马克思、恩格斯在《共产党宣言》中说的,他们说:"共产党人可以用一句话把自己的理论概括起来:消灭私有制。""消灭"这个词在《共产党宣言》汉译本出现过许多次,但他们据以翻译的德文字却有六个不同的字,在不同的地方,用不同的字,而在中译本中都译为"消灭"。"消灭私有制"的德文是"Aufhebung des Privateigentums"。这里的 Aufhebung 是个动名词,其动词为 aufheben。其意思为保持、保存、废除等,并无消灭的意思。这个字就是黑格尔的哲学里译作"扬弃"

的那个字。谁都知道，马克思早年是研究黑格尔的，在他的词汇里用了不少黑格尔惯用的词。黑格尔在《逻辑学》一书中说："扬弃在语言中有双重含义，它既意谓保存、保持，又意谓停止、终结"，"既被克服，又被保存"（引自冯契、徐孝通主编《外国哲学大辞典》，上海辞书出版社，2000年，第266页）。如果这个理解是对的，那么，《共产党宣言》中提出的"消灭私有制"，应译为"扬弃私有制"。何谓扬弃？扬弃就是否定之中有肯定，有否定，又有肯定，不是简单地否定。从历史的发展看，私有制不是将被消灭，而是将被扬弃。为什么这么说？我曾在1997年9月3日《上海证券报》上发表的一篇文章《公有制与股份制》中提出有两类公有制形式。一类是共同所有制，如国家所有制，原来的那种集体所有制等。这种所有制就是在一个社区、一个企业或一个国家，财产是全体成员共同所有，但是每个成员又不是共同所有财产的特定部分的所有者，原始公社所有制实际上是一种共同所有制。国有制又叫全民所有制，财产是全体人民所有的，但没有哪一部分财产是某个社会成员所有的。共同所有制存在的意义是，它可以实现共同的利益，提供公共产品。共同所有制在今后也还会存在。另外一类公有制是公众所有制，它与共同所有制不同，它是指在一个社区、一个企业或者一个单位里形成的公众财产，它是这个一定范围内的全体成员集合所有的财产，但是每一个成员又是公众财产中一个特定的部分的所有者。现在公众所有制的种类越来越多了，最初是合作社所有制，合作社的社员交纳股金，股金形成了合作社的公众财产，由合作社来经营。在这个公众财产中，每个社员有他自己的特定的一部分，即他交纳股金和属于他的所有者权益的其他财产的那部分。公众所有制在股份公司出现以后发展得越来越快，各种各样的公众所有制产生了。1980年，我去美国转了一圈，美国仍然有马克思描述的

讲座丛书

那种典型的资本主义企业，一个资本家雇佣一大批工人来劳动，工人在这个公司里没有股份。在我看了股份公司以后，产生了疑问，这个公司的老板到底是谁呢？财产归谁所有呢？因为在一个上市的股份公司中有几万、十几万个股东，在股权结构中大股东也就占到3%～5%，甚至只占1%～2%这么小的比例，这个公司的财产归谁所有呢？归公众所有，谁投资谁所有，而且股东不是固定的(你卖掉了股票，你就不是股东了)。这就是说财产公众化了，它已经不同于以前典型资本主义私有制。在股份公司中公众投资形成的公众财产，是法人财产，不可分割，同时，每个股东又是其所有者，他拥有一部分财产。公众所有制完全不同于过去的私有制，它是对私有制的一种"扬弃"，扬弃不是全盘否定，否定中有肯定，就是说，它已经不是原来的私有制了，但是同时它又保留着私有制，这就叫扬弃，所以马克思用扬弃这个词是非常好的。

　　除了股份有限公司以外，还有其他的公众所有制。如各种社会保障基金、证券投资基金等都是公众所有制。在公众所有制出现和发展起来后，财产关系已经发生了非常大的变化。所以对马克思、恩格斯在《共产党宣言》里所讲的"扬弃私有制"需要作新的理解。

三、是财产私有化还是公众化

　　马克思用黑格尔的肯定——否定——否定的否定的辩证法思想来论证所有制的历史发展规律，提出原始公社的公有制即原始共同所有制——私有制——公有制即共同所有制这样的发展历程。那时股份公司刚刚出现，还提不出公众所有制。现在看来，所有制的发展进程应该是这样的：原始公社的共同所有制，然后到各种各样的私有制，再到公众所有制，公众所有制是所有制发展进程的否定之否定，它是私有制的否定，确切地说是扬弃，是原始公社共同所有制的否定之否定。它不是简单地否定私有制，而是对私有制的一种扬弃。

最近人们担心私营经济的发展和国有经济的改制会造成私有化。实际上，随着各种公众所有制的出现，特别是股份公司的出现，财产关系正发生非常大的变化，这就是财产关系正在走向公众化，或者说社会化。马克思在世时，一个人要成为资本家，必须积累一定的资本，要买土地、建厂房，要买机器，要有流动资本，所以不是所有人都能当资本家的，只有极少数富有的人才有能力当资本家。其他的人除了两只手一无所有，只有出卖劳动力，即成为工资劳动者，无产阶级。所以，那时的阶级关系很清楚，资产阶级拥有资本，无产阶级一无所有。马克思《资本论》第一卷第二十三章《资本主义的一般积累规律》，把资本主义一般积累规律概括为：随着资本主义的发展，一头是财富的积累，一头是贫困的积累，就是说，财富越来越集中在极少数人手里，绝大多数人不仅相对贫困，而且绝对贫困，也就是社会在无产阶级化。这种描述在当时应该说是符合实际情况的。但是由于生产社会化的发展，特别是各种公众所有制的出现，情况发生了变化。一个人要投资企业，不需要先积累很多钱去买土地，建厂房，他有一点钱就可以买股票，就可以成为公司的老板，因为财产公众化了。财产的股份化以及进一步证券化，使财产关系发生了非常大的变化。美国现在拥有股票的家庭约占 50%，拥有各种基金的大约占 68% 左右。几乎所有就业的人都加入各种基金(养老基金、失业保险基金等)，越来越多的人买股票，买其他各种证券。所以美国的老百姓，不仅仅是有房子，有汽车这些耐用消费品，而且越来越多的人拥有金融资产。当然有的人拥有的股票多，有的人拥有的股票少，有些大公司股票非常分散，要控股是很难的。随着生

讲座丛书

产社会化的发展,财产正越来越公众化、社会化。

人们担心我们发展私营经济或国有经济改革会导致私有化,实际上这是在走向财产的公众化。我国现在已经有6500万股民,按一家三口人计算,有二千多万家庭拥有股票等各种金融资产,成为金融的资产所有者,成为公司的资本的所有者。所以阶级关系已经不是:或者是资本家,或者是一无所有的工资劳动者。财产关系正在发生巨大变化,其结果不再是一头是财富的积累,一头是贫困的积累,整个社会在走向无产阶级化,相反,整个社会在走向有产阶级化,社会越是发展,生产社会化程度越是发展,就有越来越多的人拥有股票,他们是有产者,而不是无产者,尽管是每个人财富占有量上有差别,甚至有很大的差别,需要通过调节收入分配来促进社会公平。社会的发展使越来越多的人变成有产阶级,变成中产阶级,社会人口的分布就像一个纺锤一样,一头是非常有钱的人,占少数,一头是非常穷的人也占少数,中间的大肚子是中产阶级,他们不仅有固定收入,而且拥有金融资产。既然阶级关系发生了这样明显的变化,那么我们就不能认为,私营经济发展下去,我们的社会就变质了,就私有化了。实际上,这个发展是符合社会发展规律的,这就是生产力越来越发展,生产越来越社会化,财产的占有越来越公众化,整个社会不是走向无产阶级化而是走向有产阶级化。人们担心的私有化其实是财产的公众化。

四、为什么"苏南模式"转向"温州模式"?

(一)"温州模式"与"苏南模式"之争的终结

在八十年代中期前后,在我国掀起了一场关于"温州模式"和"苏南模式"之争。这是关于在农村发展非农产业以促进农村经济发展和农村现代化选择怎样的模式之争。争论异常激烈，甚至上升到走资本主义道路还是走社会主义道路的政治高度。经过两种模式发展的实际成效的比较和对我国经济体制改革最终确定以建立社会主义市场经济为目标之后，到20世纪九十年代末期，这两种模式之争，以"苏南模式"向"温州模式"转化而告终结。

这两种模式的根本区别在于：

(1)"温州模式"是在农村发展非公有制的非农产业，"苏南模式"则是在农村发展公有制(集体所有制)的非农产业。

(2)"温州模式"是非农产业的发动者和创业者是千千万万的农民，农民办企业，经营企业，承担风险，"苏南模式"的发动者和创业者是乡镇政府。在"苏南模式"中乡镇政府是企业的投资者(在人民公社瓦解前，"政社合一"，非农产业的投资者是人民公社、生产大队、生产队)，乡镇政府管着企业。

(3)在"温州模式"中，不仅企业的生产以外部的市场为导向，而且在当地企业之间通过市场建立了紧密的分工和协作，各种生产要素的配置者是市场，也就是说，"温州模式"下的企业是在市场的指挥棒的指挥下运行的。在"苏南模式"中，企业的生产起初(在作为"社队企业"的阶段)主要是为满足公社社队内部的需要而进行的，以后才转向以外部的市场为导向，但在当地，各种生产要素的配置者仍然是政府(例如，在苏州，由于在乡镇企业劳动的农民的收入比从事农业者高，为使收入的分配更平均，政府曾决定各农户到非农产业就业的人数)。

(4)在"温州模式中"中，政府的职能是营造良好的市场环境(硬软环境)和引导企业按市场规则运作(如注意提高产品质量，打击"假冒伪劣"等)。而在"苏南模式"中，政府与企业难以分开，在一些乡镇，干部更兼企业的领导人，企业缺乏自主经营权。

讲座丛书

早在 1986 年我就指出："'苏南模式'中的农村非农产业发生了国营企业管理中的一些弊端,例如,企业缺少经营的自主权,企业对盈亏的不够关心等等。同时,在有些农村,乡镇政府往往向企业进行各种摊派(例如要企业出钱办学校、修道路等等),使企业不胜重负。有些乡村干部甚至利用自己的权力,把乡镇企业当作自己的私人财产,挥霍企业的钱请客吃饭,为自己谋私利(例如,给自己盖私宅等)。所以,乡镇公有制企业的管理体制需要改革。"(见上述拙作第 354 页)。在实行"温州模式"的地方的经济迅速发展的时候,"苏南模式"却越来越不适应市场经济的竞争环境,众多乡镇企业陷入了困境,亏损企业大量增加。例如,在 1996 年 10 月,苏州亏损的乡镇企业比 1995 年同期增长 31%。在此情况下,实行"苏南模式"的地方先后实行了改革。改革的方向是大部分乡镇集体所有制企业转变为非公有制企业,同时,鼓励(而不是像过去那样限制或禁止)发展非公有制企业,也就是说,向"温州模式"转变。另外一些企业则改组为有限责任公司或股份有限责任公司(在"温州模式"中也有一部分企业改制为这类公司)。2000 年和 2001 年我到苏南和浙北一些地区了解到,那里的集体所有制企业的改制进行得相当快,不少地方改制已经基本完成,非公有制企业已占最重要的部分,与温州相差不多。但是,也有些地方在改制中,集体所有制的产权制度改革得不彻底,保留了"集体股"、"共享股"之类产权不明晰的股份,它们甚至占控股地位,同时还建立了一批"非驴非马"的"股份合作制企业",产生了许多问题,那里正面临"二次改制"。例如,在苏州、常州都提出了"二次改制"的问题,包括改掉"股份合作制企业"。笔者从温州开始办"股份合作制企业"之初就不断批评这种不伦不类的企业制度,还写过一些专门的文章。(见《管理世界》1994 年第 2 期)。在温州,那些带着"股份合作制"红帽子的合伙企业大多早已摘掉了红帽子。实践表明,"苏南模式"已经不适应市场经济,作为一种"模式"已经不能继续存在下去了,相反,"温州模式"则成为各地学习的模式,在全国遍地开花结果。

(二)在新的经济环境下,"温州模式"面临的机遇和挑战

"温州模式"诞生至今已经有20多年,在此期间,"温州模式"的存在和发展的环境已经并正在发生巨大变化,它们既给"温州模式"的发展提供了新的机遇,同时也给它提出了新的挑战。下面拟以温州的情况为代表简单地谈一谈。

就机遇来说:

第一,在中共"十五大"确定"非公有制经济是社会主义市场经济的重要组成部分"以后,"温州模式"已经解脱了限制甚至压制其发展的种种观念的、政治的桎梏,获得了存在和发展的合法地位。

第二,经过20多年的改革,社会主义市场经济体制的基础已经初步建立,由于非公有制经济与市场经济天然兼容,市场经济体制的进一步发展和完善为"温州模式"的发展创造了良好的条件。可以说,市场经济越发展、越完善,"温州模式"也越发展越具活力。

第三,随着我国加入WTO,必将进一步放宽对非公有制经济的"市场准入",给它以"国民待遇",迟早会取消至今还存在的对它的各种歧视,这也给"温州模式"的发展以更广阔的空间。

第四,由于"温州模式"中的非公有制企业大多是劳动密集型企业,它们的产品大多具有较强的市场竞争力,在加入WTO后,随着国外市场对我国产品的更加开放,这类企业及其产品将会有更大的国际市场。今年(2001),由于世界经济不景气,我国的出口额大幅度下降,而温州的出口额却大幅度上升。

讲座丛书

就挑战来说：

第一，在"温州模式"兴起时，我国的改革刚刚起步，几乎所有商品都是短缺的，虽然农村非公有制企业生产的商品的质量很低，但仍有巨大的市场，而且，当时其他地方的企业仍受到计划经济的束缚，这也给温州的非公有制企业以迅速发展的巨大机会。随后这种情况发生了根本变化。"短缺经济"已经过去，各地的企业也已经逐渐摆脱计划经济的束缚，增强了活力，而且不少地方也成长了许多具有竞争力的非公有制企业。这些都使非公有制企业面临巨大的竞争。

第二，在加入 WTO 后，我国的企业将面临国外企业的强有力竞争，温州和"温州模式"下建立和发展起来的非公有制企业的规模一般都很小，技术较落后，产品质量较低，且缺乏研究和开发新技术和新产品的力量，它们将面临巨大的挑战。

第三，"温州模式"还遇到市场秩序的日益规范化、法制化的挑战。市场秩序的日益规范化、法制化，本来是非公有制经济发展所要求的。那些遵纪守法、规范运作的企业的合法利益在规范化的、法制化的市场秩序环境中将受到保护，并健康发展。但是，也应看到，温州的非公有制经济起初是在计划经济的硬壳尚未打破的情况下拱出来的，当时并没有规范的市场秩序，也没有市场经济的法律和法制，因而有一些非公有制企业采取了即使在市场经济中也不合法、不合规范的办法来发展自己，如生产假冒伪劣的商品，侵犯他人的知识产权，靠行贿、拉关系等办法获得原材料、推销商品等等。这使温州商品一度成为假冒伪劣商品的代名词。这种情况经过整顿已经大有好转，但不合法、不合规范的情况仍然存在。例如，不久前各地查获的伪造的文凭、身份证等等，不少就产自于温州。在当前，在加入 WTO 后，我国的市场秩序将更加完善，企业只能靠规范的运作、自身的努力来发展,那些违纪违法的企业迟早要受惩罚,遭淘汰。

"温州模式"只有抓住机遇,战胜挑战,才能适应新的经济环境。

(三)"温州模式"的继承和提高

"温州模式"自其在温州一带诞生以后,经历了艰难的发展道路,也经受了不少挫折,同时,随着外部环境的变化以及自身发展的需要,它也在发展、变化,与最初的"温州模式"有了不小差异。

最初"温州模式"的基本内涵是:

(1)千千万万的农民自己投资、自己创业,组建遍布农村的、以血缘为纽带的、家庭作坊式的、销售或其他中介服务的业主制企业(如果也把它们称作企业的话),它们完全自主经营、自负盈亏。

(2)这些业主制企业按照市场的需求,彼此分工协作制造各种低品质的劳动密集产品,例如塑料编织袋、用城市企业下脚料生产的晴纶服装、塑料凉鞋、钮扣、拉链、各种证章、各种低品质的低压电器等等。

(3)通过十万供销员在全国各地推销产品或采购原材料,以及在本地建立各种专业市场(如桥头的钮扣市场、柳市的低压电器市场等),形成市场网络,以市场为媒介,借助市场配置资源,与各地的消费者(包括客户)建立密切的市场联系。

我们今天谈的"温州模式"与其形成之初的"温州模式"已有很大的不同。例如,那种"村村点火、户户冒烟"、遍地开花创建农村非农产业的状况已有改变,而且也需要改变。这种发展方式不宜于节约地建设农村非农产业所需的基础设施(如道路、供电、供水、通讯等)并有效利用,而且也不利于企业节约成本、保护环境。农村非农产业正逐渐向一些小城镇集中,或

讲座丛书

者使一些村庄发展成为小城镇，这样也有助于促进小城镇建设和农村人口的城市化。同时，企业的规模也比当初扩大许多，出现了一些合伙企业(温州称为"股份合作企业")、有限责任公司，以及少数股份有限公司。在技术水平、产品品质、产品结构和产业结构上也都有了相当大的提高，形成一批名牌产品，如低压电器、皮鞋和西服等，还兴起了一些以往没有的或很少有的资本密集或技术密集的产业(如化工产业等)。不少企业的经营和管理更为规范。市场营销方式也有了很大变化，在全国各地甚至国外建立了专营店等营销网络，有些产品甚至在靠近市场的地点生产。"温州模式"还有其他一些变化，如"温州模式"已由农村扩展到城市。

但是，不管怎样变化，"温州模式"作为一种成功的发展模式，其基本精神仍需继承。同时，随着时代的发展、经济环境的变化，"温州模式"本身也需要逐步提高和发展。

就"温州模式"需要继承的基本精神而言：

(1)"温州模式"的最重要和最宝贵之处在于，温州人有很强的致富欲望和创业精神，只要尊重、鼓励、保护广大群众的强烈的致富欲望和坚韧不拔的创业精神，群众自己会找到致富之路。有些地方，受传统的观念和习俗等的影响，群众中的致富的欲望和创业精神远不及温州人。当前，由于发展市场经济的改革不可逆转，应该说，继承、传播和发扬"温州模式"的这种基本精神大的制度环境已经基本具备。在市场经济的洗礼下，在温州这种精神会进一步继承和发扬，在其他许多地方这种精神将逐渐培育和形成。

(2)"温州模式"的基本精神还在于为了致富，为了创业，要不断追求，不断开拓，不断前进，永不满足。这种精神也是需要继承和发扬的。由于传统等影响，有些地方，人们往往安于现状，很容易满足，日子过得好一点，就"小富而安"，不想再干

15

了,沉溺于搓麻将、上饭馆,甚至有些人沉沦于吃喝嫖赌。在温州,许多人已经远远不愁吃穿了,但仍继续在奋斗,但是,也有一些人不思进取了。如果这样,"温州模式"的精神就丢掉了,这是值得注意的。

(3)"温州模式"的基本精神还在于,为了致富,人们异常勤劳,敢于冒风险,勇于闯天下,工作不挑拣,没有职业高低贵贱的考虑,努力学习本领,善于适应环境,即使极偏远,极艰苦的地方,都有温州人在奋斗,在创业,他们无论到哪里都能够生根、发展。可是,有些地方人们却不是这样,他们也想生活过得好,但又图舒服,甚至宁愿失业也不愿去干那些"脏、苦、累、危险"的活,或者被认为低贱的活,甘愿在当地受穷也不愿到外面去闯荡,寻找发展的机会。温州人富起来了,创造"温州模式"的第一代人大多仍继续保留着这种精神,但愿第二代、第三代以及往下各代能继续保持和发扬这种精神。

(4)温州人创业极其艰苦,特别是在外地、在海外。为了生存和发展,温州人之间既彼此竞争,又较为团结互助。特别是在海外,先出去的温州人在自己立足后,往往把自己的亲戚朋友带出去,用各种方式帮助新来的温州人创业。一些地方建立了"温州村"、有些地方建立了温州商城,就是他们共同努力的结果。当然不是说温州人之间就没有尔虞我诈。但互相拆台,彼此间不正当竞争,不符合"温州模式"的精神。我国企业之间往往缺少既合法竞争又团结互助的精神,例如,为了增加出口,我国企业之间常常压价竞争,造成"渔翁得利",丢失了市场。

"温州模式"的基本精神,创造"温州模式"的温州人固然应该继承和发扬,而各地在学习"温州模式"以发展本地经济中,也应学习和发扬"温州模式"的基本精神,特别是温州人艰苦创业、敢于冒风险、永不满足等基本精神,而这些精神又是

讲 座 丛 书

16

最难学到的。

就"温州模式"需要提高和发展的方面而言:

(1) 产品结构和产业结构需随市场的变化和自身经济力量的增强而升级、提高

就温州的情况而言,以制造业为主的产业结构,在较长的时期内是难以改变的。但过去那种大量生产低档次的小商品的产品结构则必须改变,因为当我国的经济又有了长足发展,国内市场的普遍短缺已经结束,人们的收入大大提高以后,消费者和用户已不满足于那些低档次的商品。当然,有些小商品(如钮扣、打火机等)还是有市场的。在保持以制造业为主的产业结构下,温州的企业需要在这些制造业中引入新技术,开发新产品。即使是传统的产业和传统的产品也应如此,否则温州的企业就会失去竞争力,特别是在加入 WTO 后,在国际市场上。温州的许多企业正是这样做的。例如,柳市的正泰集团、德力西集团、天正集团在引入新技术后,已使自己生产的低压电器产品的品质大为提高,品种也有大的调整。再如,由于引入了新的技术,温州生产的西服和皮鞋已经在国内外具有较好的信誉,当年生产的塑料鞋和用城市工厂的下脚料生产的晴纶针织服装早已被淘汰。用新的技术改造原有的传统产业及其产品,是提高和发展"温州模式"的一个重要途径。

与此同时,"温州模式"在提高和发展中已不能只停留在对原有的产业和产品的提升上,而应该向更高的产业结构升级,除继续发展和提高劳动密集的制造业外,也应发展某些技术密集、资本密集的产业,在有条件时向高新技术产业进军。温州的华峰工业集团的前身是一家生产塑料编织袋的小厂,目前已经发展为生产技术和资本含量均高的生产聚氨酯和氨纶的高分子材料的企业集团,而且成为国内生产这些产品的龙头企业,占有很高的市场份额。这些产品又对温州本地的制

革、制鞋、纺织、服装等产业的产品的提升起了重要作用。华峰工业集团的发展对"温州模式"的提高是有启示意义的。从技术力量等方面情况看，目前温州尚不具备大量发展信息技术等前沿高新技术产业的条件。今后，在条件逐渐具备时，它们也应发展起来。

（2）企业制度的创新

在"温州模式"发展的初期，人们创办的绝大多数是业主制的家庭作坊或企业，还有一些合伙企业。这类企业已无法适应温州经济发展的需要。一些文化水平较高、有眼光、不满足于已有成就的企业人士组建了一些有限责任公司和少量股份有限责任公司。这类现代企业制度，为温州企业的发展开辟了广阔的空间，不仅大大突破了家庭成员、合伙者个人的资本有限的约束，大大拓宽了融资的渠道，而且有条件按现代企业制度来管理，突破了家族式企业和家长制管理的限制，并能吸纳职业经理人、有才能的人士管理和经营企业。前述正泰、德力西、天正和近年来迅速崛起的华峰工业集团获得巨大的发展，都与企业制度的改革密不可分。有条件的企业按现代企业制度改制，并按现代企业制度来管理企业，是提高和发展"温州模式"的必由之路。

（3）大力加强研究和开发

在温州经济发展的早期阶段，企业善于模仿，能通过模仿迅速地跟上市场中产品不断更新、发展的步伐，但它们很少自己创新。这与当时这些企业规模很小、资金很少、缺乏技术力量有关系，在企业初创阶段难以避免。但这种靠模仿他人以求得自己的生存和发展总不是办法，特别是在我国加入 WTO 以后，市场竞争更激烈的情况下，单靠模仿，只能跟在别人后面跑，迟早会被强大的对手淘汰，如果靠侵犯他人的知识产权来发展则必定遭到制裁。有鉴于此，企业应努力于研究和开

讲座丛书

发。致力于管理、技术和产品的创新,这是在竞争中取胜的根本办法。但是, 至今只有少数企业认识到了并已经在这样做了,许多企业仍习惯于模仿他人,或者购买他人已经淘汰或即将淘汰的技术,因为这比自己研究和开发既快又省。当然也有不少企业没有能力研究和开发,这与许多企业的规模仍太小,实力仍太弱有密切的关系。

(4)利用资本市场,把企业做大做强

温州的企业大多是靠自身的积累发展起来的。这自然是一条正确的途径。但在资本市场迅速发展的今天,除此以外,企业还应利用资本市场, 通过资本运作使自己尽快做大做强。至今,温州只有一家上市公司(东方集团),而且是由国有企业改制在我国证券市场上市的, 民营企业上市的连一家也没有。这固然与以前限制民营企业上市有关,但也与温州企业不想或不善于利用资本市场、借助资本运作来发展壮大自己分不开。目前,有些企业已经认识到这方面的不足,但成功地在资本市场运作的尚不多。在新的经济环境下,温州的企业如不学会利用资本市场和通过资本运作使自己做大做强, 将难以应对日益激烈的竞争。

五、加入 WTO 以后,私营经济面临的机遇与挑战

加入 WTO 对我国经济的影响已有不少文章研究。应该说,加入 WTO 对我国经济来说,有利有弊,总的说来,利大于弊。这种判断是恰当的。但就不同产业、部门和不同所有制经济来说,其利弊又有区别。所以, 研究加入 WTO 对中国经济的影响,必须分别就不同产业、部门和所有制经济来考虑。否则会失之笼统。需要区别产业和部门来研究,这是清楚的,因为,我国不同产业、不同部门的企业与国际的同产业、同部门

的企业比,其强弱的态势是不同的,在与 WTO 的一些会员成员单位的双边协议中,双方进入对方市场的条件在不同产业、不同部门也是不同的。至于要按不同的所有制经济来研究,那是因为在我国,由于历史的原因,公有制经济(特别是国有经济)与非公有制经济在产业结构、规模结构、技术结构等方面,在企业的运行机制方面以及在企业经营状况方面都有巨大的差异,从而在加入 WTO 后,在我国的市场进一步对外开放后,不同所有制经济在与国际企业的竞争中的强弱的态势也是不同的。这样,加入 WTO 对不同所有制经济来说,其利弊也是有差别的,应对的办法也是不一样的。目前,对加入 WTO 与非公有制经济的问题的研究还很少。这里,我想谈一点初步的看法。

讲座丛书

我国非公有制经济是在改革开放后才逐步发展起来的,在市场准入方面,虽然逐渐放开,但政府对非公有制经济有许多限制。这给非公有制经济的结构带来了一些不同于公有制经济的特点:

在产业结构方面,非公有制经济只能在国有企业垄断的产业和部门以外的产业和部门存在和发展。这形成了非公有制经济的不完整的畸形的产业结构。非公有制经济主要在第二产业和第三产业的一些部门分布。1998 年非公有制经济在我国的国民生产总值中的比重大约占四分之一,其在三个产业中的比重分别是,第一产业 1.32%、第二产业 47.84%、第三产业 50.84%。在这些产业和部门中非公有制经济的分布与国有经济的分布有很大不同。在我国加入 WTO 后,由于没有了非关税保护、大大降低了关税税率、给予外国企业以国民待遇,在我国处于弱势的部门,例如,农业、汽车业、银行业、保险业、证券业、电信业等,我国企业将面临外国企业的强大竞争。由于非公有制经济在农业中所占比重很低,所以它受的冲击可以不计。(关于农业经济的所有制结构,一般都认为农业是集体所有制的,实际上,除土地外其他农业生产资料都是农民自己所有的,究竟如何认定农业经济的所有制这里不谈)。而在我国居弱势的其他部门,非公有制经济受外国企业和产品的冲击比国有企业小得多,而在那些由国有企业垄断的部门,非公有制经济则完全不受冲击,这自然是指直接冲击,间接冲击多少还是有的。在我国处于强势的部门,如纺织业等劳动密集部门、家用电器制造业部门、商业和餐饮业部门、建筑业、各种非金融服务业部门等等,正是非公有制经济发展最多的部门,它们受到的冲击较小。相反,在加入 WTO 后,外国的市场对我国的产品也更加开放了,那些我国具有强势的部门将可扩大出口,获得进一步发展,由此非公有制经济也将获益,而且,在与有的国家的协议中就明确规定在从该国的农产品进口贸易中我国国有进口企业的进口额将逐渐降至 50%,也就是说非公有企业不仅可以从事农产品进口,而且其进口额应占到一半。因此,目前非公有制经济的产业结构使得它受到加入 WTO 的不利影响较小,而得到的好处则更多。这只是概括而言。实际上,当然还得按部门仔细地分析。例如,在汽车零部件制造业方面,在非金融服务业的有些中介服务业,如独立的律师、会计师服务业,在部分涉外业务上非公有制经济也会受到较大冲击。

在规模结构方面,非公有制经济的规模很小,大企业很少。在与国外大企业有竞争的部门中,非公有制经济确实处在不利地位,例如,在零售业方面,外国的一些很有实力的大型商店、超级市场纷纷进入我国市场,对我国的商业,包括非公有制商业,构成了威胁,我国的非公有制商业规模很小,直接与其抗衡是很困难的。但是,非公有制商业正因为其规模小,可以广泛分布,灵活经营,外国大型商业企业不可能取代它们。

在技术结构方面，非公有制经济的技术水平低是其很大的弱点。在那些技术水平有决定影响的部门，如制造业部门、新经济部门，非公有制经济在与外国企业竞争中往往也处于不利地位。

总之，如果说我国加入WTO，在利弊权衡上有利有弊、利大于弊的话，那么，与国有经济相比，对非公有制经济来说利更大，弊更小。

六、发展私营经济需要解决的几个主要问题

那么，非公有制经济如何应对加入WTO后面临的形势呢?这里提出几点:

第一，扬长避短，有进有退。

不同的非公有制企业应根据自己的实际情况采取不同的应对措施。

非公有制经济的优势是产权明晰、机制灵活、机动性强、决策快、利益的激励和约束强，短处是许多企业的规模太小、实力弱、技术落后、管理差、信息不灵。如上所述，在不同产业和部门，它又有其强势和弱势。在应对加入WTO后面临的形势时必须扬长避短，有进有退，主动地进行结构调整。

在产业结构方面，应主动退出没有竞争力的部门，或者调整经营的方向。如果是生产汽车的话，在加入WTO后，那些不具经济规模的众多小的汽车厂继续生产汽车必定会遭淘汰，它们不应存侥幸心理，继续生产，而应及早退出，或转产其他产品。在那些具有优势的部门，非公有制经济应乘机发展，有能力的企业应努力扩大国外市场。目前国有经济正在对其布局从战略上进行调整，将要从竞争性领域逐渐退出，这是非

讲座丛书

公有制经济大发展的机会。在竞争性领域,非公有制经济与国有经济相比具有优势,在与外国企业竞争中也比国有企业更具竞争力。原则上,在国有企业退出时非公有制企业应以不同方式进入。这对我国应对加入 WTO 后面临的与外国企业竞争的形势是有好处的。但是由于非公有制经济的实力弱,即使在国有经济将退出的领域,在短期内非公有制经济也难以替代国有经济,有些非公有制企业也难以具备能与外国大企业竞争的实力。但总的说来,让非公有制经济进入这些领域将更有利于应对,而且早让其逐渐替代比晚让其替代更有利。同时非公有制经济应向以信息技术、生物工程技术为主的高新技术产业进军。加快发展非公有制的高新技术产业是应对加入 WTO 后在这方面的激烈竞争的需要,因为,非公有制经济的产权制度、经营机制比公有制经济更适合于从事风险大、发展快、企业淘汰率高、创业成功后回报也高的高新技术产业。

在技术结构方面,提高非公有制经济的技术水平已刻不容缓。

在规模结构方面,在有些部门需要发展一批规模大的有雄厚实力的非公有制企业。固然非公有制企业的规模小有其灵活性和适应性的长处,但要与庞然大物的国外大公司竞争还是困难的。无论是占领国内市场还是扩大国外市场需要有一批大型的非公有制企业去竞争,单靠国有大企业去应对是不够的。

第二,学习规范,改革提高。

加入 WTO 后,我国的经济将进一步与国际经济接轨。非公有制经济的从业人员必须了解和学习 WTO 的基本原则、基本目标、基本结构、贸易政策审议和贸易争端解决的机制,其基本协定和附加协定、协议,与我国签定的双边协议,承诺清单等。这些协定、协议和承诺清单就是各会员单位之间经贸交往中必须共同遵守的规则。了解和学习一方面使我们知道如何按这些规则行动，不致违规，另一方面使我们知道如何用这些规则来保护自己的权益。

对非公有制企业来说需要按照这些规则来对照自己以往的行为，对那些不符合的地方，应切实纠正。自然，在任何经贸交往中都必须遵守诚实信用的原则、尊重他人知识产权，不得有假冒行为。

为应对加入 WTO 后面临的形势，非公有制经济需要改革。非公有制经济的产权制度需要加快改革。不谈那些中小企业，不少大型的非公有制企业也需要改革其产权制度。由于历史的原因，一些非公有制企业已经长得很大了。但是至今它们的产权归属仍是一笔糊涂帐。许多企业戴着"国有"、"集体"的红帽子，但国家、集体从来没有投资。由于产权错归，民事主体错位，经常发生法律纠纷，并造成误判，引起许多损失，阻碍了企业的发展。在加入 WTO 后，这个问题不解决，带来的危害更大。为应对加入 WTO 后的激烈竞争，有条件的非公有制企业要建立现代企业制度，按照现代企业制度的规范来改进管理，这样才便于发展并便于与外国企业交往。

第三，团结协作，共同努力。

为应对加入 WTO 后的形势，固然要靠各个企业自身的努力，但单凭一个一个非公有制企业的实力要对付国际庞大的企业是困难的。非公有制经济需要团结协作，共同努力。应该发挥协会和商会的作用。我国至今没有全国统一的商会。为此，全国工商联应能给非公有制企业以必要的帮助。例如，对非公有制企业人士提供关于 WTO 的培训。提供有关的法律咨询，在非公有制企业的利益受到外国的损害时，以各种方式维护其利益。

为使我国经济特别是非公有制经济能够应对加入 WTO

讲座丛书

后面临的形势，应为非公有制经济创造必要的条件。加入WTO后，我国将给外国企业以国民待遇，既然如此，就没有理由不给我国自己的非公有制企业以国民待遇，而且首先应给予其国民待遇。那就是，除了涉及国家安全等极少数国家必须控制和垄断的部门外，其余部门应向非公有制经济开放，或者退一步说，凡允许外国企业进入我国的部门(例如，银行业、保险业、电信业、证券业等)也允许非公有制企业进入。只有这样才能使非公有制经济在外国企业进入我国的部门中与国有经济共同应对外国企业的竞争。否则单靠国有经济，力量是不足的。当然，现时，非公有制经济的实力弱，短期内它们进入这些部门还有困难，但只要对它们开放，它们就有办法逐步进入并在市场竞争中发展的。对此，还应在融资方面给非公有制经济疏通渠道。市场准入的门开了，融资的渠道通了，非公有制经济发展的道路就宽了，非公有制经济也就更能应对进入WTO后面临的形势了。捆住它们的手脚，让它们与外国"重量级拳手"比赛，是不可能取胜的。

(演讲时间：2002 年 2 月 3 日)

厉以宁

加入 WTO 后中国经济面临的挑战和对策

　　厉以宁，1930 年 11 月 22 日出生于中国江苏省。
1955 年毕业于北京大学经济系，后留校任教。1985–
1992 年任北京大学经济管理系系主任，1993–1994
年任北京大学工商管理学院院长，1994 年至今任北
京大学光华管理学院院长。

　　厉以宁因为在经济学以及其他学术领域中的杰
出贡献而多次获奖，其中包括中国经济学界的最高
奖"孙冶方经济学奖"、"国家中青年突出贡献专家证
书"、"金三角"奖、国家教委科研成果一等奖、环境
与发展国际合作奖(最高奖)等。他曾多次被邀请到国
内外多所大学与科研机构演讲。

　　厉以宁已出版著作 50 余部，发表论文 100 余篇。
1990 年后主要著作有:《非均衡的中国经济》、《走向
繁荣的战略选择》、《中国经济改革与股份制》、《股份
制与现代市场经济》、《经济学的伦理问题》、《环境经
济学》等。

一、对加入 WTO 的基本看法

现在社会上有这样一种看法，即认为从中长期来说，加入 WTO 对中国肯定是利大于弊的，比如可以引进资本，引进先进技术，扩大出口。但从近期来说，则可能是弊大于利。为什么呢？据说是一个行业一个行业地分析，比如农业会怎么样？金融业会怎么样？加工工业会怎么样？服务业会怎么样？似乎每个行业在短期内都是弊大于利。这种看法对不对呢？在我看来，这种看法是不正确的。中长期没有问题，利大于弊；而近期内，同样利大于弊。对于近期内的利大于弊，必须站在宏观经济的高度来看。

1. 改革将加快

从 1979 年以来，我们的改革与开放都是相互促进的，开放促改革，改革促开放。加入 WTO 是进一步的开放。大家知道，开放都是真的，开放不可能是假的，如果假开放，外国人就不来了。但改革却有真有假。有一些改革是假改革，表面上叫改革，实际上原封不动。比如说，把几个国有企业合并一下，换一个牌子，实际上什么都没变，这就是假改革。假改革害了自己。加入 WTO 以后，进一步开放了。进一步开放以后，假改革是不行了，假改革只能骗自己，假改革只能把时间耽误了。于是改革要加快，而且是真改革。这难道不是最大的好处吗？

2. 政府职能转换

多年以来，我们一直在谈政府职能转换，谈了很久，但政府职能的转换一直进行得非常缓慢。为什么呢？因为没有压力。加入 WTO 以后，情况不一样了。因为 WTO 的规则不是针对企业的，也不是针对个人的，WTO 规则管的是政府。哪个国家的政府只要在参加 WTO 的协议上签字了，政府就受到了 WTO 规则的约束。比如说，必须给国民待遇、政策透明度必须增加等等。这就是说，政府的职能要转换，政府不能再像从前那样直接干预企业了，保护主义行不通了。必须创造一个公平竞争的环境，政策透明度要增加。在这种情况下，政府要为企业服务。你看，改革加快了，而且是真改革；政府职能转换了，这难道不是最大的好处吗？

当然，一个行业一个行业看，可能会遇到麻烦，遇到问题。但我们看问题要从另一个角度看，即使在挑战之中同样也包含了机遇。比如说，关税降低了。关税降低了意味着成本也降低了，价格也降低了，居民的购买愿望就增大了。这不是机遇是什么？再说，外资银行进来了，可是你想过没有，外资银行是根据效益进行放款的。哪个企业效益好，不管属于什么所有制，即使是民营企业，只要效益好，外资银行就给予贷款。以前某些企业因为效益好而得不到贷款的情况将会改善。外资银行的服务项目多了，这样，无论企业还是个人，作为客户，都能从外资银行提供的多种服务中得到好处。这就给中国的银行加大了压力，所以银行业必须改革。不改革，不为客户服务，这个银行将失去客户。

加入 WTO 以后，竞争加剧了。竞争加剧意味着什么？竞争的加剧实际上意味着公平竞争的环境建立了。我们应该看到，公平竞争环境的出现，同样意味着在挑战之中包含着机遇。根据以上这些看法，我们应该有这样的信心：加入 WTO，无论中长期还是近期，对中国经济都是有好处的。

这里有两个认识上的误区需要澄清。一是加入 WTO 就是跟国际接轨了。不错，但这指的是经济运行方面的接轨，因为游戏规则一样了。这绝不等于政治制度的接轨，因为在政治制度上不存在接轨的问题。我们是社会主义制度，我们是在中国共产党领导之下的社会主义制度。二是所谓"引狼入室"，这个看法是不正确的。加入 WTO 既然是利大于弊，怎么叫"引狼入室"呢？什么叫"引狼入室"？历史上石敬瑭把燕云十六州割让给契丹，这才叫"引狼入室"。加入 WTO 难道是这样吗？是利大于弊呀。竞争是加剧了，但这没有关系。大家知道，现在中国的乒乓球水平是世界第一。可是 50 年代初，中国的乒乓球水平是不行的。正因为我们球艺不行，所以要和世界上最强的队进行比赛。跟谁赛呢？当时，东方是日本，西方是匈牙利、法国，跟他们比赛，尽管有输有赢，但水平提高了。假如老是跟那些世界上的弱队比赛，即使盘盘都是 21∶0，有什么用呢？所以外商进来了，他们的竞争力强，跟他们竞争，我们的水平才会提高。所以"引狼入室"这话是不对的。

二、金融业遇到的挑战和对策

首当其冲的，一个是金融业，一个是农业。先谈金融业。当前国内会不会发生金融危机？在经济学界有两种不同的看法。一种看法是：当前国内可能会发生金融危机。有两个根据，第一个根据：国有商业银行不良资产比例相当高。在国外，呆帐、坏帐、不良资产比例这么高的话，老早出问题了，老百姓就会不相信银行，跑来挤兑。银行兑不出钱，就倒闭了，于是发生连锁反映，金融危机就爆发了。中国国有银行不良资产比例高，难道不会出问题吗？第二个根据：农村信用社一半以上已经资不抵债了。一些地方经常发生这样的情况，就是农民把某一个信用社包围了,因兑不出钱来,就要砸信用社。然后,上面想办法调些钱来偿还存款。一半以上信用社资不抵债,这难到不是发生金融危机的迹象吗?所以有些经济学家认为当前有可能发生金融危机。

另外一些经济学家认为,当前不可能发生也不会发生金融危机。也是两个根据,第一个根据:人民币汇率稳中有升。我们的外汇储备到 2001 年 10 月底已经超过 2030 亿美元,哪里像发生金融危机呢?东南亚国家发生金融危机时,都是本国货币大幅度贬值,外汇大量流失,中国没有出现这个情况。第二个根据:2001 年第四季度,银行的居民储蓄存款上升到 72000 亿元了,2001 年一年就增加了 8000 亿。可见老百姓对于人民银行是信任的,是往里头存钱的,从来没有发生挤兑的情况,哪里会发生金融危机呢?

讲座丛书

上述两种观点都有事实根据。那么,当前金融会不会发生问题呢?我们说,这两种观点都不大正确。第一种观点是不了解中国的国情,第二种观点是不了解中国经济的全球化趋势。现在让我们来分析一下。第一种观点认为,当前国内有可能发生金融危机,这是不了解中国的国情。外国的银行是私营银行,私营银行的不良资产比例高了,人家就不往里面存钱了,不相信你了,把钱取走了。中国不会发生这种情况,因为中国的银行是国有商业银行,是国家独资的银行。老百姓不懂什么叫不良资产比例,他也不关心它,不问它。他就认定一点:你是国家银行,你不会让我亏本的。假定你对某个老百姓说:"你别往某个银行存钱了,它的不良资产比例很高了。"他说:"我怕什么?是国家银行,它能不还钱?它能亏我的?"所以说,这个问题在目前不会发生。不少农村信用社资不抵债是事实,但不要紧。为什么?星星之火不会燎原,它只是某一个乡某一个镇的问题。信用社是农村的,这里出问题了,一告急,省银行调一些钱来，马上就化解了。所以说第一种观点是不了解中国的情况。

第二种观点认为不会发生金融危机，这是不了解中国经济的全球化趋势。有可能发生问题，但不是在现在，而是在中国加入 WTO 5 年之后。那时，外资银行可以从事人民币的存款业务了，问题将在那个时候发生。因为外资银行规模大，实力雄厚，而且外资银行服务质量高，技术水平先进。这还不算，外资银行还能替存款户保密。第二次世界大战中，纳粹德国在瑞士银行存的钱，到现在还没查清楚。菲律宾前总统马科斯存在瑞士银行多少钱，现在还在查呢！中国老百姓认为外资银行会替存款户保密的。这是一般老百姓的心理，怕露富。他讲：在采用实名制的情况下存进银行的钱，一查起来，不就露富了吗？你对他说："不要紧的，没关系。因为我们国家的法律规定，县以上的人民法院、县以上的人民检察院下文才能查人家的存款。"他不相信。他认为本单位同银行都串联在一起，本单位党委书记打个电话不就查到了吗？他还对银行基层工作人员的素质，特别是县以下的银行工作人员不放心。比如说，营业员跟人家吃饭、聊天，喝酒喝多了，就说："某某人家不错，最近他家又来存钱了，他们家的存款又增加了。"这一下可不得了，于是他们家的孩子就可能是绑架的对象；基层的摊派，他们家的份额就可能多一些。老百姓总是有这个担心。外资银行进来以前，没有办法，只好往国有银行存，没有其他可供选择的余地。去买股票，常常是被套住了，所以只有往银行存。外资银行进来以后，情况就要发生变化。要知道，中国的国有商业银行不怕现在不良资产比例高，怕就怕老百姓今后不存钱了，钱一到期就取出来了。这就发生问题了。因为银行的放款和存款是有一定比例的。存款减少，放款要收回，放款收不回来，不良资产比例不就越来越高吗？问题将在那个时候爆发出来。就像幼儿园小孩玩游戏,有 10 个小朋友,只有 7 个小板凳。小板凳围成一个圈,10 个小朋友拍手、唱歌,围绕这个圈转,不会出问题。他们唱得挺高兴的,歌声一停,马上抢位置,肯定有 3 个小孩没有位置坐。所以国有银行在运行过程中,如果存款不断减少,在这样的情况之下,问题将爆发出来。那时怎么办?这是个现实问题。因此,摆在我们面前的金融问题是相当严峻的。

怎么办?只有加快金融体制改革,走股份制银行的道路。这个问题提了很多年了。工业按股份制改了,银行一直不动。现在看来不改不行了,非改不可。不改,将来银行就没有竞争力了。因为体制不改,政企分开的问题就没法解决,银行不能真正成为商业银行。国有独资商业银行要改为股份制银行,就必须是多元投资主体注入资金,技术更新,服务质量提高,人员重新培训。所以为了应付金融方面遇到的挑战,我们必须把金融体制的改革、银行体制的改革放在首位。无论是工商银行、农业银行、建设银行还是中国银行,都得走股份制银行道路,可以国家控股,这样才行。

把一家银行分为几个行不行?有人建议仿照工业的改革,把银行一分,哪个银行好,就让它先改。比如说,工商银行上海分行好,把它单独拿出来上市行不行? 这个想法是不对的。今天银行的竞争以实力雄厚为主, 世界上的银行是合并的趋势。哪个银行规模大,它在世界上的信誉高,就有竞争力。把银行一拆散开,挑个分行出来上市,规模不是更小了吗? 而且银行的资产负债是全国统一核算的。所以要走整体改革的道路,先改为以多元投资为主体的银行,然后再上市。只有这样,中国的银行才能应付挑战。

三、农业遇到的挑战和对策

农业遇到的挑战可以说是相当严峻的。为什么?因为中国某些农产品价格比世界市场高。比如我们的玉米价格比世界市场大概高出 30% – 40%,棉花、小麦和大豆的价格比国际市场高出 40%。这几年又遇到一个新问题:农民收入增加缓慢。如何使农民增加收入?靠提高农产品价格行吗?不行!因为农产品价格已经比世界市场高了,而且某些农产品的质量也不如外国。举个最典型的例子:70 年代以前,中国是大豆出口国。现在大豆怎么样?根据去年的材料,大概每年生产大豆 1500 万吨,进口可能超过 1500 万吨。进口的大豆不仅价格便宜,而且含油量高。中国的大豆含油率大约是 17%,而进口的大豆含油率是 22% – 23%。工厂当然愿意要进口大豆了。小麦干吗要进口呢?除了价格低外,还有一点是中国的小麦只适合做馒头,外国的小麦能够做面包、做糕点。中国小麦做面包、做糕点爱碎。外国的水果怎么也进来了?大家知道,外国的橘子个儿大,中国的橘子个儿小,有的橘子还酸。所以中国农业遇到的挑战是严峻的,涉及到农民收入怎么提高的问题。农产品竞争加剧,农民收入又不能提高,城乡差别就越来越大。因此,需要采取以下几个方面的对策。

1. 加快种子工程的建设

农产品质量不如外国,关键是种子不行。所以农业方面的一个重要问题就在于种子工程基地的建设力量要加大。同时,农业技术要进一步推广。现在,农业技术的推广实际上是很差的。举个例子,农业科技成果真正能够转化为生产力的,大概只占 40%。还有,农民不善于使化肥,化肥用量很高,可是化肥的效率只有 40%,很多化肥是浪费的。我国是个缺水的国

文津演讲录 3

家,可是水的利用率也很低。这些都需要推广农业技术。总之,通过新品种的推广、农业技术的推广,才能够使农产品跟外国农产品相对抗。然而,这都需要有政府的大量投入。

2. 进行土地制度创新

解放后,中国土地制度已经进行过两次创新了。第一次创新是1950年前后在全国范围搞了土改,废除了封建土地所有制。本来是挺好的局面,但是七搞八搞变成人民公社了。农民的耕地没有了,农民挨饿,城里也缺粮。第二次创新是1979年开始的农村家庭承包制。承包制搞了20年,成效显著。但有一个局限性:农民外出去打工,土地就荒废了,土地使用率很低。虽然可以转包给人家种,但一般来说土地使用率仍是低的。另外,一小块一小块的家庭承包土地,怎么搞规模经营呢?农业现代化需要规模经营。所以现在到了土地创新制度的第三个阶段。第三次土地创新是指土地使用权的流转。这是当前一个很重要的问题。

"十五计划"中提出一个办法叫"公司加农户"。什么叫公司加农户?这是一种模式。要知道,农民现在很苦恼,因为他们不知道现在市场需要什么东西。他们听说市场需要大蒜,就生产大蒜。等大蒜长出来了,市场上的大蒜又多了,卖不掉,农民赔了。"公司加农户"有助于解决这个难题。公司了解市场情况,它同农民定合同,你生产什么由我给你下订单,你按照订单进行生产。生产出来以后,我收购你的产品,按合同价格付给你钱。很多地方都推广了,这叫"订单农业"。订单农业的确使很多农民安心生产。公司一般这么做:人无我有(人家没有种的,我种);人有我优(你种我也种,我的质量比你好);人优我反季节(我的农产品比你早上市一两个月或比你推后一两个月)。订单农业在全国推广后,的确使农民收入提高了。但订单农业有两个局限性:一个局限性是公司收购成本太高。因为

讲座丛书

公司要跟一家一户订合同,到处去收购,而且农民生产的产品比如大蒜,大小规格不一样,收购来后还要重新分类、包装等等,所以成本高。还有另一个问题,中国社会上到现在为止还不大讲信用,信用观念薄弱,定了合同他不遵守。农产品市场价格上升时,农民不卖了,公司就没有办法。而市场价格下跌了,公司找各种理由拒收,农民就苦了,于是就打官司。有了这两个局限性就不好办。有些地方就过渡到"公司加农户"的第二阶段。

第二阶段叫租地经营。先说说我实际考察的例子。广东雷州半岛徐闻县是个干旱地区,没有大河,农业产量很低,过去一亩地大概只有二、三百块钱的收入。公司进去了,有乡镇企业,有中外合资企业,有股份制企业,也有民营企业。公司和农民谈:"你种一亩地能收入多少钱?""二、三百块钱。""你别种了,我每亩地给你 300 块钱,你把土地租给我种,你愿意到外面去打工你就去打工。你没有地方打工或者你不愿意外出打工,就留在本公司当农业工人,按你的出勤日数和你的技术水平每月发工资给你,一个月也有几百块钱。"这样,土地就连成片了。土地连成片以后,公司投资打井,搞喷灌,并从国外引进新的品种,进行成片开发。有一片几千亩大的地全种菠萝,连地名都改叫"菠萝的海"了。还有些土地成片种上火龙果、荔枝、龙眼、香蕉等。收获以后,或装箱出口,或制成罐头。农民收入提高了,公司收入也增加了。还有一个例子,我在青海搞调查,从西宁出来,翻过一座 3800 米高的大山,直奔贵德县。到了贵德县境,有一条又大又宽的碧绿的河。我奇怪,这是什么河?这么宽,这么大,水这么绿。原来这就是黄河。黄河的水在青海境内是绿的,出了青海,到了甘肃境内进入黄土高原了,水就变黄了。农民的地就在贵德县黄河边上,也是一亩地一年只有 300 元收入。于是公司把土地租下。青海人很少到外边打工,多数就留在当地了,在农场当工人,每月有几百块钱的收入。生产什么呢?生产蔬菜。我去看了,西红柿、辣椒、圆白菜个儿都很大。这些蔬菜空运日本,并在日本打出广告:来自中国青藏高原的绿色食品。于是销路大增,农民收入也就提高了。这表明,通过规模经营的办法,农民收入是可以提高的。这就是"公司加农户"模式的第二阶段:租地经营。租地经营也有局限性。局限性在哪?农民以300元钱一亩出租土地的收入是固定的。公司如果发展了,还是300元钱一亩吗?所以有些地方就开始改了。在浙江的某些地方已经转到第三阶段。

第三阶段叫什么?叫股田制。土地不是出租而是入股。根据公司本年的赢利情况到年底按股分红。公司赚钱越多,农民分得越多。农民的土地使用权是可以转让的,转让的价格根据公司的增值情况而定。这就是第三阶段。

讲座丛书

"公司加农户"模式的第二阶段、第三阶段都属于土地使用权的流转。所以当前中国正面临着第三次土地制度创新。全国人大常委会正在讨论农村土地承包法。农村土地承包法主要有两个精神:第一个精神,在土地公有制基础上承包制长期不变,让农民放心。第二个精神,在承包的基础上,所承包的土地使用权可以流转,包括转让、租赁、土地入股等等。这样就解决了问题,但必须是在农民自愿的基础上进行,绝不能搞强迫命令,否则就又回到从前了,农民的土地被收走了。中国农业体制方面的出路在于土地使用权流转。2001年8月,我在美国哥伦比亚大学讲学,曾有一场讨论。一些人不懂中国的国情,他们认为中国农业要现代化,必须私有化。哪有那么容易?得修改宪法。就算把土地私有化了,能解决农业现代化问题吗?解决不了问题的。中国平均每人才一亩多地,土地私有化能顺利实现农业现代化吗?我看不行。我们的选择应是:在土地公有制基础上承包制不变,但土地使用权可以流转,在农民自愿的基础上做到规模经营,实现农业现代化。这就是中国特色。

3. 大力帮助最贫困的人口

全国大约还有 3000 多万人生活在贫困线以下。这 3000 多万人在哪儿住?多半都住在山区。在当地很难使他们脱贫致富。怎么让他们富,采取什么办法?最好的办法就是搬下山来,别在山上住了。举两个例子。一个例子是:北京怀柔县县城北 100 公里的地方,有个喇叭沟门满族自治乡。全乡 300 多平方公里土地,全是森林,本地人不到 8000 人,以满族为主。哪儿来这么多满族呢?他们自己说,是祖祖辈辈替皇上看林子来的,一直住到现在。过去穷得要死,在山上砍树开荒,种些老玉米。老这样不行,生活水平不能提高,农民没法致富,环境也被破坏了。所以北京市政府、怀柔县政府下决心把他们迁到山底下来,并给他们盖房子,比他们原来在山上住的房子要大。为什么要大呢?因为除了自己家住以外,另外几个房间就作为家庭旅馆。人们去旅游,就在他们家住,在他们家吃,宰个土鸡,弄点蘑菇,农民就有收入了。搬下山以后,生活水平都提高了,家里有摩托车、彩电,什么都有。开座谈会时,农民就说,愚公要移民,愚公不要移山。愚公移山讲的是艰苦创业的精神,精神要保持。异地开发,从零做起,同样需要有艰苦创业的精神。他们还说,山上的女儿都往外嫁,外地的女的谁都不愿意嫁到山上来,所以儿子就讨不到老婆。儿子讨不到老婆就没有孙子,不可能子子孙孙开山了,所以必须搬家,搬下山以后就有办法致富。另一个例子:广西百色地区很穷,这里是邓小平同志过去领导红七军起义的地方。百色的山上住的是什么人呢?是少数民族。山上没有水,全是石灰岩,老百姓很穷。政府发给他们救济金,他们就喝酒喝掉了。山上冷,政府给他发棉袄,他把棉袄卖了。所以没有办法,后来政府下决心让他们迁到山底下来。村干部带头，一根扁担后面放一个铺盖卷，前面放一口锅，老婆背一个娃娃、抱一个娃娃就下山了。下山以后怎么办？先搭草棚住下，然后开荒，种上芒果树。几年之后，芒果树成林了，农民盖了新村，盖了小学，住进砖瓦房。靠生产芒果，富裕起来了。由此可见，山上的穷人要富，必须迁移下山。我在青海曾说过，要保护长江源、黄河源。怎么保护？最好的办法就是把住在那里的人全部向外迁，别在里面放牧、住家。人们迁下山以后封山育林，自然环境也好了，黄河源、长江源就会得到保护，所以一定要采取这个政策。

4. 继续引导农民外出打工

现在北京城里人一听说民工潮就烦，认为民工一多，坐火车挤，坐公共汽车也挤，晒在门口的衣服没有了，自行车也丢了。其实这是加强管理的问题。事实上，民工潮对促进中国经济发展的作用，对提高农民生活水平的作用，是不可低估的。可以从四个方面来说：

第一，没有广大民工的外出，沿海经济能发展得这么快吗？沿海经济的迅速发展依靠了大量来自内地的民工。高速公路谁修的？是民工。大楼谁盖的？是民工。沿海经济的发展支撑着全国的经济建设。

第二，民工出来以后要把钱寄回家。现在出来多少民工呢？少说是8000万人，多说大概有一亿多。就算一亿人，每人每月带100块钱回家，一人一年1200元，全国每年有上千亿元人民币从沿海流到了内地农村，繁荣了当地的经济，改善了人民生活。

第三，民工出来后，观念就转变了。现在出来的民工是第二代民工，以区别于80年代初出来的第一代民工。80年代初我的学生到深圳去，问那些打工的："你们出来干吗？""挣钱回去讨老婆。"这是当时的想法。现在不一样了，现在你去问民

讲座丛书

工:"你出来干吗?""学本事来了。你们懂技术我得学,你们会经营管理我得学,我学本事来了。"这是巨大的人力投资。几千万民工自己花钱培养自己,国家没有花一分钱。叶落要归根,出来的民工回去几分之一,家乡面貌就要起变化。到今天的江西、湖南、广西看看,许多小商店,谁开的?小工厂、小作坊,谁办的?都是到广东的打工仔回来办的。出去了,有了点技术,积累了一点资本,有了公共关系了,回来就办起了企业。昨天的打工仔就是今天的创业者。今天的打工仔何尝不是明天的创业者呢?

第四,我们谈妇女解放谈了这么多年了,有没有用处?有点用处。自从打工妹出来以后,情况发生了变化。别看小姑娘出来几年,耳环戴上,项链戴上,红毛衣一穿,外表变了,实际上她的观念也发生了变化。她知道外面的世界是什么样的,外面的夫妻关系是什么样的,外面的家庭是什么样的。她都懂了,回去讲了。这一讲,左右邻居、表姐、表妹跟着心动了,就一批批向外走。1998年春节后,有一个电视追踪采访节目,我看了很受感动。讲的是四川东北部达州市一个小姑娘在深圳打工。过年前几天,老板说现在放假了,你可以回家了,电视追踪就从这开始。你看她,大包、小包、背包、挎包,挤火车,坐轮船,坐长途汽车,走山路,摄像机一直跟着她。到家那天是年三十中午了。家里看女儿回来了,喜出望外。回家第一件事是什么?把包打开,拿出一件毛线衣给她妈妈,妈妈一辈子没穿过毛衣。又拿出一双球鞋给她弟弟,再拿出一件夹克衫、一副老花镜给她爸爸。家里人告诉她,你寄钱回家,弟弟交得起学费又上学了;草房铺了新草,不漏雨了;杀了猪等你回来吃。所以中国的农村正在悄悄起变化。中国农村妇女地位的提高要冲破传统的社会结构,靠什么力量冲?靠民工潮来冲。

现在可以这么说,民工潮的出现反映了这样一个问题:真正要使农民富裕,一定要有人从农村出来打工。湖南农村就流行一句话:"两个月种田,一个月过年,九个月赌钱"。妇女组织起来抓赌后,男的吓得不敢赌了。不敢赌又不好好干活,没有活干,就上山砍树卖,或坐在公路两边数数一天过多少辆车,一天就这么混过去了。不久前,联合国专家在北大光华管理学院和我谈,他们说:"走了许多国家,在中国的农村发现了一个特点:在西方国家,打台球是一种高雅的文化活动,而在中国的农村,台球已经普及了,人们都在打。"这是农业劳动力高度闲置的表现。农村中还流行这样几句话:一人外出打工,全家脱贫有方;一人外出打工,全家生活变样;一人外出打工,全家观念解放。1999年春节后,我到湖南郴州农村去考察,刚好第二批民工回来探亲。第二批民工是什么人呢?是春节期间留守当地的,因为厂里总需要些人吧。我看了后很受感动,填了一首词,词牌叫"鹧鸪天",标题是"湘南农村见打工妹回乡探亲"。"小妹相迎小弟随,村头渐近步如飞。当年含泪离家去,今日笑容结伴回。猪崽壮,土鸡肥,青砖红瓦屋前堆。爹娘细问他乡事,直至四更月已垂。"

要发展小城镇,但中小城市更应优先发展。户口制度正在逐步改变。河北的石家庄改革了,浙江改革了。当初认为不能改动户口制度,怕一变以后,大量民工会涌入城市,城市受不了。但实践证明,石家庄没有发生这种事情,浙江宁波、绍兴也没发生这种事情。为什么呢?我到浙江、石家庄去调查,发现一个情况:当初农民为什么会涌进城?主要怕政策多变。现在浙江就讲明了,只要你符合条件,随时可以来。这样,农民就不着急了。这就表明了中小城市再进一步发展,农村人口减少的问题将得到解决。

讲座丛书

四、加工工业面临的挑战和对策

　　加工工业面临的挑战主要是什么?主要是两点。一是关税率降低,二是领域开放准入。有些领域外资可以来建厂,这给加工工业带来一些挑战。对于这个问题,该怎么办?仍然要从资产重组和产业升级着手,必须加快国有企业的改革。重要的行业,国家控股,包括和外资联合,这样就能够建立新的企业。在这个过程中,一定要懂得"置之死地而后生"的道理。中国的汽车工业为什么发展不起来?中国1958年就出产汽车了,可是中国的汽车工业好几十年了,还是没有发展起来,还是幼稚工业,像是侏儒。什么原因呢?是国家垄断的后果。家电工业为什么发展迅速?是市场竞争的作用。

　　有人说,效益好的企业不能搞合资,不能搞股份制。要搞可以,叫差的企业搞,丑女先嫁,丑女嫁完嫁靓女。把靓女先嫁了,剩下丑女怎么办?这个观点仍然在相当多的地方有影响。我们先不问她出嫁不出嫁,不管靓女还是丑女,只问出嫁是好事还是坏事?改为股份制是好事还是坏事?假定是把良家女子推入火坑,无论靓女还是丑女都不该出嫁。假定出嫁是件好事,有利于企业发展壮大,有利于国家增加税收,还可以增加就业,那么出嫁就是件好事,靓女可以嫁,丑女也可以嫁。问题是对方要谁?丑女,人家不要;靓女,你不准先嫁。靓女、丑女捆在一起,谁都嫁不掉。谁都嫁不掉,问题还不大,问题在于:靓女还能靓多久?不可能一辈子靓下去。技术发展这么快,市场竞争这么激烈,今天不引进资金,不改造技术,几年之后效益还能这么好吗?所以《唐诗三百首》里有一首诗:有花堪折只须折,莫待无花空折枝。靓女此时不嫁,更待何时?要抓紧时间。北京人过冬天家家都爱储藏苹果。两户人家各买了一篓子苹果准备过冬,但两户的吃法不一样。这一户怎么吃苹果呢?看见哪个黑了、烂了,就吃,吃完了哪个黑了,又吃。所以一冬天下来都吃的是烂苹果。那一户人家呢,烂的我不要,哪个好,吃哪个。尽管一冬天少吃几个苹果,但都吃的是好苹果。有些单位,五一节发一桶油,中秋节又发一桶油,家里人少,油都排队了。现在吃的油还是一、两年前发的油,有些变味了。新发的油排在最后,等到要吃的时候,又变味了。干吗不吃最新发的那桶油呢?道理是一样的。所以说,趁现在效益好,能够合并就合并,能够改就改,改成股份制。中国还有句老话,家里的女孩子如果相貌平平,多给点嫁妆就行了。效益差的企业条件优惠一点,效益好的企业要价高一点,主动权还在我们。有一次,我在外面讲课,一个学生提问题:"老师,你以后讲课不要再提靓女先嫁了。"我问他为什么,他说:"你这话容易引起人们的误解。"我说:"你说应该怎么讲?"他说:"该改两个字,改为'靓仔先娶',理由是:中国人有个传统观念,女儿出嫁就嫁到别人家了,就变为别人家的儿媳妇了。于是对好女儿有一种惜嫁的心理,舍不得她出嫁。其实,哪里是嫁出去呢? 我们是引进外资,引进内资,搞股份制。这是娶进来。所以改成靓仔先娶可以解除人们的思想顾虑。"这个人讲的倒是好意。但另一个学生讲:"改不改都是无所谓,因为只有咱们中国人才能分清什么叫嫁,什么叫娶,西方老外是不分的。他们都用 marry 这个字,管你是嫁,管你是娶。"

体制要改,产业要升级。跟外国的竞争要靠提高我们产品的技术含量。但现在有的地方还有一个想法:要产业升级,就应该发展高新科技行业。国家计委对于高新科技行业有特定的含义,比如微电子行业、生物工程行业、新能源、新材料、航天航空、新医药等,这叫高新科技产业。这些固然要发展,但不一定每个地方都有条件。对中国来说,重要的问题,或者说更

讲座丛书

重要的问题，是在发展高新科技行业的同时，对传统行业进行技术改造。传统行业要升级，这对中国来说是最主要的。不妨举个例子。我到一个地方去，当地有两个厂。一个是纺织厂，纺织行业是个传统的行业。我说，假定能通过发明创造，生产出一种西装面料，这种西装面料又薄，又轻，又挺，不用烫，而且穿在身上冬暖夏凉，冬天有羽绒服的作用，你看有没有销路？肯定有销路。销到全世界都没有问题。另一个是造纸厂，造纸行业也是传统行业。假定能够利用稻草、老玉米秆、老玉米叶、老玉米核造成一种纸，这种纸可以用来做饭碗、做杯子。杯子可以喝水，喝完就扔掉了，但回收后可以用来喂猪。发明这种纸，有没有销路？肯定大有销路。由此可见，经济学中有句有名的话："从来没有夕阳产业而只有夕阳技术。"夕阳产业是没有的，夕阳技术是存在的。也没有夕阳企业，为什么呢？采用了夕阳技术的企业就是夕阳企业。如果把技术改进了，就不是夕阳企业了。这个道理不是很清楚吗？我在四川讲课的时候，有个学生问："老师，我举一个行业是夕阳产业。"我问："是什么行业？""补碗。"解放前有补碗业，鲁迅小说里，九斤老太的小孙女的碗是打了补丁的。解放初还有，现在哪有补碗的呢？现在碗破了，杯子破了，扔了就行了。谁还去补呢！补碗行业是个传统行业。可是前年我去欧洲，有个学生告诉我："补碗业现在是世界上最时髦的行业之一。"海底沉船打捞起来后，明朝的花瓶、明朝的碗碟裂缝了，破碎了，用高科技修补，补了以后价格要高好几倍。这个行业在中国还不行呢！没有多少人会呢！连补碗都不是夕阳产业，还有哪个行业是夕阳产业呢？所以说，一定要想办法使得各行各业都搞产业升级。

民营企业该怎么办？发展民营企业，当然是必要的。为了进一步发展民营企业，民营企业也要进行改革。民营企业一开始建立的时候，都是靠家族经营制成长起来的。家长是一个能人,把企业带起来了。等到规模大了以后,就会遇到问题。家族经营制企业在小本经营的时候,在初创时期,的确有它的优点。规模大了该怎么办?暴露了四个局限性,这是我在浙江和江苏南部调查的结果。

第一,家族经营制的民营企业往往是家长个人作出决策。家长凭经验决策,经验可能是财富,也可能是包袱。所以企业大了以后,家长个人决策往往导致决策失误。由于决策失误,导致整个企业亏损。现代的企业决策是专家比较决策,不是家长个人决策。什么叫专家比较决策?不论什么发展规划,采用什么技术,都要经过专家论证。如果说这批专家不行,你可以找另一批专家。假定意见有分歧,完全相反,你可以找第三批专家。专家意见中,哪一种是对的?一个企业不可能养这么多专家,因此,咨询行业就发展起来了,咨询行业以低成本给企业提供专家咨询服务。民营企业应当了解这一点,即家长个人决策往往导致民营企业的失败。

第二,民营企业在家族经营制之下,找接班人是不容易的。他就有一个儿子,接不接班?儿子有高学历,但有高学历也不一定能领导企业呀!他可以当工程师,可以当医生,不一定能领导企业。假如有几个儿子,可能又会有麻烦:争夺接班人位置的斗争就开始了。这个儿子拉舅舅做后台,那个儿子拉姑姑做后台,于是一场"宫廷政变"有可能发生。

第三,家族经营制企业往往是用人惟亲,而不是用人惟贤。信得过的人就放在关键岗位上,比如,会计是我的弟弟,出纳是我的妹妹等等。这样,能人在厂里呆不下去了。特殊人物把持了企业的关键岗位,规章制度就不起作用了。

第四,产权封闭。理由是:肥水不外流。我的企业已经搞大了,干吗肥水外流呢?所以产权是封闭的。封闭式产权的最大问题在哪里呢?它只有靠自身积累才能发展,而自身积累是慢

讲座丛书

的。产权必须开放。应该怎么办? 跟国有企业一样。国有企业是这个极端,家族经营制民营企业是另一个极端,两者都要走向现代企业制度,使所有权和经营权分开,采取委托代理制度,招聘外面的人来主持工作。这边,国家控股;那边,家族控股。投资主体多元化,企业才有前途。从世界上家族经营制企业近年来的发展看,第一代过去了,不改革,能保留下来的一半都不到。第二代过去了,再不改,只剩下 15%。所以,淘汰是非常厉害的。民营企业体制要改革,对这一点,一定要看清楚。我到了南方一个中小城市,路上看到有一个店,只有一个门面这么大,又黑又脏,门口还挂个牌子:"百年老店"。一百年搞成这样还挂牌子? 现在企业发展多快,15 年一代,所以一定要放开眼光,建立现代企业制度。

五、人才问题

加入 WTO 以后,人才问题将摆在面前。人才方面的形势是很严峻的。挑战在什么地方呢? 北大光华管理学院副院长张维迎曾经有一段很精辟的讲话。过去,人们都说劳动力价格低廉是中国的优势,张维迎认为这个观点是不对的。虽然工资很低, 劳动力素质也低, 劳动生产率也低, 但这不是中国的优势。过去,中国的优势不在这里。中国过去的优势是:高素质人才的低廉价格。工程师、教授、专家、科学家,他们得到的报酬少,这才是过去中国真正的优势所在。因为,这些人的劳动生产率是高的,有发明创造,可是他们的收入少。入世以后就不一样了。外资进来了,外资企业不会从本国带那么多人来,只是头头来,头头来了以后,雇员本地化。这对他们有三个好处:第一个好处,比从国外派人来成本低得多;第二个好处,熟悉当地情况,马上可以开展业务;第三,根据跨国公司的原则,对

47

手的削弱就是我力量的加强,我把你的人拉到我这里来了,你力量弱了,我力量就强了。所以只要外资企业需要的人,不管原来在工厂,在高等学校,还是在国家机关工作,只要工资出的比较高,就跳槽了。人才走了怎么办?加工资行吗?不管用。为什么?对企业来说,工资要记入生产成本的。劳动生产率没有外资企业那么高,把工资加得和它一样高,赔得更厉害了。而且,工资提得和它一样高了,它把工资再往上提,我怎么办?攀比?结果问题始终没有解决。所以人才问题值得专门研究。

可以采取的第一个办法是大力培养人,扩大大学招生,扩大研究生招生。假定人才总量是既定的,那么走一个,少一个。如果人才总量不是既定的,每年可以培养大量人才出来,走一部分还留下一部分。但这还不够,要在收入上想办法。不是提高工资,而是给股权,如实行职工持股,对高级管理人员、科学技术人员实行股票期权制,给股权奖励。还有,对发明家,就让他以知识产权入股,给股权。外资企业不一定这么做,而只是给工资。给股权的好处是不记入成本。因为职工入股是花钱买的,股票奖励是用奖金抵扣的。知识产权入股,原来资本金就计到里面去了。这些都不计入成本。几年之后,股票增值了,到社会上去转让,是社会给你报酬。所以说这个办法是适用的。但又会产生新问题。问题何在呢?这些高级管理人员、科学技术人员,本来工资就不低,再给他股权,他的收入不是太多了?收入一多,别人心理就不平衡了。对这个问题该怎么看?在这里,一定要认清"谁是最大的受益者"。《读书》杂志1996年7月出版的一期上登了一篇文章,讲的是孔子的两个学生的故事。第一个故事,当时鲁国政府有一条规定,凡鲁国人到国外去旅行,看到鲁国人在国外沦为奴隶的,可以自己垫钱把他赎买出来。赎买出来以后,回国到政府去报账。孔子

讲座丛书

有个学生到了外国,果然看到有鲁国人沦为奴隶,就垫钱把他赎买出来了。可是赎买出来以后,回国没有到政府那里去报账。于是人们就夸这个人好啊,人格多高尚啊,这个人赎买奴隶而不报账啊。孔子知道了就责备这个学生,说:"你错了。"错在什么地方? 因为他的行为妨碍了更多的沦为奴隶的人被解救出来。你赎买了奴隶,没有去报账,别人都夸你好。可另外一个人到了国外,他也看到沦为奴隶的人了,他就想:"我垫不垫钱把他赎买出来? 我垫了钱以后回国报不报账啊? 我不报账,就白白丢了一笔钱。我要去报账,就引起人们的比较,说某某人赎买奴隶不报账,人格高尚。这家伙赎买奴隶回来还报账,人格就不如他。找那麻烦干吗?"于是他就会假装没看见,绕道而行,过去了。这不是妨碍更多的沦为奴隶的人被解救出来吗?这是一个故事。第二个故事:孔子的一个学生在河边走路,有人掉到河里去了。家属喊:"救命啊!"这个学生奋不顾身跳下水把人救起来了。家属感激得不得了,重重酬谢了他。酬谢了什么呢? 酬谢了一条牛。在春秋时代,一条牛是很贵重的。这个学生就高高兴兴地把牛牵回家了。当他在路上走的时候,有人就议论了:"这个人下水救人固然不错,可是心比较贪,家属给的这么贵重礼物他也好意思收下。人品不怎么样。"孔子知道了,就表扬这个学生:"你做得对!"因为这个学生的行为在向社会宣告,只要冒险去救人,家属给的多高的奖赏,你都可以得到。于是就会鼓励更多的人下水救人。这两个故事告诉我们:我们看问题要从"谁是最大的受益者"角度出发。我赎买了奴隶回国报账,我本人没有吃亏,最大的受益者是谁? 是沦为奴隶的鲁国人。我下水救人得了一条牛,我得了好处。但最大的受益者不是我,是谁呢? 是将来掉到水里的人,快被淹死的人。所以对问题要这么看。我们给那些管理人员、科技人员、发明家重奖,给以股权奖励,他们本人得好处了。但最大的受益者是谁?是我们的国家,是社会。我们的高科技行业起来了,我们的产业升级了,外国留学生回国创业了,最大的受益者是全社会呀!有一次我在北京市科学家、企业家联合召开的座谈会上发言,我说:"假定给你们股权,你们得要。你们不要不好意思要,因为你们不要,别人都不好拿了。这样,政策就没效了。"钱是多了一点,你拿回去再说嘛!明年发洪水,你再捐嘛!所以只要政策对头,人才问题是可以解决的。

人才问题中,还有很重要的一条,就是要创造便于人才发挥能力的环境。经济学和管理学中两个最难的问题:一个叫公平,一个叫效率。这是历来人们感到最难解释的两个问题,而且认为公平和效率是有矛盾的,"要公平就没有效率,要效率就没有公平"。其实,这种观点是不正确的,我们不妨从另一个角度来看。

讲座丛书

首先谈公平问题。经济学中对此有三种解释,三种解释都是对的,不矛盾。第一种解释:平均分配是公平的。大家一听可能感到奇怪,平均分配怎么是公平呢?经济学是这么解释的:一般条件下,平均分配不是公平的,特定条件下平均分配就是公平。比如说,某个城市长期严重干旱,缺水,必须定量分配水。当官的、有钱的、穷人、一般老百姓都是每人每天一脸盆水,这就是公平。又如,发洪水了,地震了,人们被困在一个岛上或者困在某个地方,空投面包下来,不管是谁,一人一块。为什么呢?这是在特定条件下,涉及到人的生存权问题。所有的人在生存权上是一律平等的,你能活,我也能活。难道只有你能活,我不能活?所以这种平均分配是公平的。这是经济学中的第一种解释。经济学中的第二种解释是:机会均等是公平的。大家都站在一条起跑线上,你有多大本事,就跑多快,差别是竞赛的结果,但出发点是一样的。这叫机会均等。但这种解释有局限性。是不是真的站在一条起跑线上?不一定。比如说,有两个学生都考取了某所名牌大学。一个家在北京,父母是知识分子,是重点高中毕业的。另一个家在陕北或贵州、云南的农村,父母不是知识分子。两个人都考取了,分数一样,肯定第二个学生所做的努力程度要大于第一个学生,因为他们的出发点是不一样的。家庭背景不一样,所在地区不一样,所念的中学环境不一样,所以另一个学生肯定做了更大的努力。所以说,机会均等有它的局限性。对于公平,经济学中还有第三种解释,认为收入的合理差距是公平的。所有的经济学书都承认这一点,但都是模糊解释。模糊之处在于:"合理"二字如何解释?没有说清楚,也说不清楚。比如说,大学教授比副教授工资高多少叫合理?副教授比讲师工资高多少叫合理?厅长工资比处长高多少叫合理?处长工资比科长高多少叫合理?全都说不出来。现在所有的工资差别都是根据历史上已经存在的差别做些调整。比如说,历史上形成了某个系数1:1.5, 1:1.8……根据情况做些调整而已。以上三种解释都对,互不冲突,但不一定能把公平解释清楚。有人就问了:能不能有第四种解释?有!第四种解释是:公平来自认同。要知道,每个人都生活在一定的社会群体中,每人都属于某一个社会群体。最小的群体是家庭、家族,大一些的是企事业单位、社区,再大的是社会。以一个家庭为例,夫妇二人有三个孩子,当年家庭生活困难,所以第一个孩子只能读到中学,就必须出去工作,帮助父母养家。家庭情况好转了,第二个孩子长大后,可以读大学了。第三个孩子长大时,家庭情况更好了,孩子可以深造了,拿了博士学位。只要孩子们对家庭是认同的,对父母当年的处境是谅解的,谁都不认为自己在家里受到了不公平的待遇,那就是认同。又比如说,家里有三个男孩或三个女孩,过去的习惯是老大穿新衣,老二穿旧衣,老三穿带补丁的衣服。若干年以后,三个孩子聚在一起,顶多在开玩笑时说:"哎,你小时候老穿新衣，我老穿旧衣。"谁都不会因此就认为我在家里受到了歧视，让我穿旧衣服是不公平待遇，因为对家庭是认同的。在一个单位，也是一样的。现在都讲要建立企业文化、校园文化、社区文化等等。企业文化最重要的任务是培育职工的认同感。当职工认同本单位的时候，活力就起来了。企业竞争力在于企业的凝聚力。这就是对公平的理解。

再谈效率问题。效率有两个基础：一个基础是物质技术基础，指有多少先进的设备、多少熟练劳动力，这些构成效率物质技术基础。不要忘记，效率还有另一个基础：效率的道德基础。重要的问题在于：仅仅有效率的物质技术基础，只能产生常规效率。超常规效率从哪儿来的？超常规效率来自效率的道德基础。举三个例子：一个民族，当它遇到外来侵略的时候，例如抗日战争时期的我国，为什么国民有这么大的凝聚力？这么高的战斗热情？这么大的工作积极性？为什么有这么大的超常规效率？它来自效率的道德基础。第二个例子，一个社会，当它遇到特大自然灾害的时候，比如1998年发洪水的时候，大家回想一下，1998年夏天，家家傍晚都在看新闻联播，看长江水位又到多高了，担心下一步怎么办？大家发扬互助友爱精神，解放军战士在水里堵漏洞几十个小时。这种力量从哪儿来的？来自效率的道德基础。第三个例子，一个移民社会，效率怎会这么高？今天广东、福建一带住了很多客家人。客家人祖先在哪里？在今天的河南。魏晋南北朝时期、隋唐五代时期、北宋南宋、明清战乱时期，迁到了广东、福建一带，扎下根来，战胜了恶劣的自然环境。靠什么力量？靠的是家族的凝聚力。客家人在这里扎下根来了，并从这里走向全世界。福建龙岩市永定有很多土楼，是客家人居住的。一栋楼几百户住在一起，一家一隔，最下层养猪、养鸡，第二层堆粮食，第三层住人。里面有井，门一关，外面怎么打也打不进来。参观完以后，桌上放一张

讲座丛书

宣纸，让我题词，怎么写呢？写"开发旅游资源"？不太好。想了想，写了"人情道德一楼中"七个字，反映了道德力量的作用。

假定我们把公平和认同联系在一起，把效率看成道德基础和物质技术基础的统一，那么公平和效率是不矛盾的。公平促进效率，效率促进公平。一个单位要留住人，留人要留心。在这里工作，人们对本单位是认同的，感情上是融洽的，就有一种既共安乐又共患难的思想。记住这一点，我相信在人才问题上会出现一个新的局面。

六、民富为本

我们搞革命为的是什么？搞建设又为的是什么？为的是让人民富裕，走上共同富裕的道路。民富为本，是最要紧的。我们加入 WTO 以后，同样不要忘记这一点。加入 WTO 是符合走共同富裕道路这个原则的，因为经济发展加快了，经济增长了，我们所遇到的问题都将在发展中解决。发展中求稳定，是真正的稳定。运动中求平衡，是真正的平衡。骑自行车，你必须骑快些，快就稳，慢就晃，不骑就倒。走钢丝必须往前走，这才稳。从来没有听说过谁有本事能够站钢丝，站能站多久？所以问题可以在发展中解决。

加入 WTO 后，将促使我们的经济发展加快。关于农民收入问题，前面谈过了。城市失业工人问题怎么解决？现在城市失业的人越来越多。对这个问题，要有信心。一方面，在企业重组过程中和市场竞争过程中，会有一部分工人失业。我们采取的对策是：第一，加快社会保障体制的改革。有了社会保障体制，失业问题、养老问题，都会有安排。第二，进行劳动力培训。经济增长中会出现许多工作岗位，但失业的人不一定适合这个工作岗位，他没有技术，所以要经过培训。现在招聘工作，首先问你两条:"会不会电脑?会不会外语?"失业者得学习,接受培训,增加就业能力。第三,要大力发展服务业。服务业在中国是落后的,各种服务,比如社区服务,远远没有发展。社区服务能够容纳相当多的人。还要想办法把失业的人转移到某些部门去。举两个例子。南方某个城市是这么解决的:本来要从财政局给每个下岗工人发救济费200多块钱。现在不直接发给你本人,而是通知你到环保部门、环卫部门去上班,财政局把钱拨到那里去了。你到那里上班,然后由雇你的单位再加一倍的钱。这样,下岗的人就业了。调查的结果是三满意:一是下岗工人满意,原来只有200多块钱,上班后可以得到多一倍的钱,并且有工作了。第二,是环保、环卫部门满意。现在只花一半的钱就能雇一个人了。第三,市民满意。多年堆积的垃圾山被清理掉了,河道被整治了,栽树了。那里正是采取这种办法减少下岗人员的。我曾经有个建议,叫"招工减税"。凡是劳动密集型企业,如果能够多招人的话,达到一定标准就可以减税。对国家来说,是一样的,失业者就业了,生活救济费就停发了。所以税收虽然减少,国家并没有损失。但这样一来,对社会有好处。

讲座丛书

要扩大就业,必须大力发展民营企业。浙江的下岗人就少,因为民营经济发展快。我到浙江某个市,听说当地只有三个人到劳动局登记失业。这三个人登记后还被人们议论,说哪儿不好找工作啊,摆小摊,开小店,替人扛包,送盒饭,到处有活干。干吗要登记失业呢?

经济学中谈到"以就业扩大就业"。这是指,一批人就业了,就有收入了,收入要花掉,别人就有收入了,别人也就就业了。所以解决就业问题时要记住这一点。谁都不花钱,市场上的东西卖不掉,无助于失业问题的缓解,只能增加失业人数。

要解决中国的就业问题,一定要培育长期的经济增长点。长期的增长点在哪呢？在住房建设。住房建设能够带动很多行业发展，钢材、建筑材料、家具等行业，都能够被带动。据初步估计，带动系数大概是1:2.8。这是指增加100亿元房地产投资，社会的产值能够增加280亿元。住房政策正在改，现在的住房政策跟几年前不一样了。我现在住的房子是北大、清华教师集资和通过银行贷款建的。银行贷款的期限是60岁以下的，10年为期；60岁以上的，5年为期。期限为什么这么短？后来我到了四川成都，他们很羡慕北京。他们说，我们这里，60岁以上的都不贷款，怕你死。这不合理，有住房抵押嘛。什么叫"按揭"？"按揭"是香港人翻译的，是英文的"抵押"。现在，政策已经改了，还款期延长了。同时，二级房产市场要开放。几年前二级房产市场还不让开放，现在开放了二级市场，这是好事。有人买新房，有人就买旧房。比如说，我住了70平方米的，想换个120平方米的，我就把旧房卖掉。另一户原来住30平方米，他买下我的70平方米，一装修就能住了。另外没有房子的，买他30平方米也行了。所以二级房产市场一定要开放。过去说慢慢来，5年以后产权才给你。干吗要等这么久呢？现在就给他，该补税补税，该补差价就补差价。我曾经讲过，一个好市长是能让老百姓都搬家的市长。老百姓家家小房换大房，旧房换新房，城市肯定就兴旺起来了。因为现在人们有"可买可不买就不买"的想法，电视机凑合凑合用，家具还是结婚时候的家具，用着再说。一搬家就要买新的，至少一个房间要换新家具，至少要多买一台电视机，市场不就活跃了嘛。一个冷冷清清的、没有人搬家的城市，市场是没法活跃的。还有，大城市的住房要郊区化。北京三环路以内的房子那么贵，谁买得起？四环路附近，现在房价也贵了。住到哪儿去？住到昌平、顺义、大兴、房山那儿去。那里房价便宜，有的才1000多元一平方米。怎么上班呢？坐火车上班嘛！要学日本，多修轻轨铁路。

我在日本东京、京都的大学都讲过学。我和日本的教授一样，都是住郊外，距东京市中心好几十公里，坐火车上班。火车不堵车，准点。日本家家都有汽车，但平时不坐，只有周六、周日旅游、购物时坐，来个亲戚时坐。平时坐火车，习惯了。坐小汽车上班，有时找不到地方停车，一下高速路就堵车。住房郊区化后，小汽车将进入家庭，手提电话更普及了。

第二套住宅概念正在悄悄兴起。我到成都去，成都人告诉我，在都江堰以北、青城山以南，农民盖了一大排房子，几万元一套。卖给谁住呢？卖给成都的工薪阶层住，很便宜。房子盖得不怎么样，可是方便。没有产权，但有 30 年使用权，30 年到期就收回，重新规划了。买下第二套住宅的成都人，到了星期五晚上就去了，全家人到那儿去度假了。休闲度假和旅游是两个概念。旅游是一次性的，休闲度假是经常性的。在那里，爬山、钓鱼，来几个亲戚朋友在那里吃饭，闲了在院子里种萝卜、种菜，到了星期天晚上，就回来了。北京的密云水库、怀柔水库附近，北京城里人的第二套住宅在那里兴起了。在北京市内有第一套住宅的人，休假日就到那里去。山东日照市在北京卖房子，很便宜，海边的房子 10 万元一套，还是小别墅。我的几个学生买了，还和我说："厉老师，我的房子正在装修，明年放暑假到我们家去度假。"扩大内需是增加就业的条件。人们购买第二套住宅，是扩大内需的有效办法，一定可以增加就业。第一套住房建设正在带动经济增长，第二套住宅概念流行以后，经济将长期持续增长，这个趋势是挡不住的。

不仅如此，现在农民也在城里买第二套住宅。我在外地问一些农民："你们干吗要买第二套房子？"回答是："小孩要上学，农村哪有好学校。家里人有病，要到这里住下来看病。还有，我也得享受城市的文化生活，看电影、看戏。"所以情况正在变，中国长期经济增长点是有的，今后经济增长保持在 6 –

讲座丛书

7%,也是没有问题的。在这个过程中,中国的就业问题将在发展中解决。

总之,农民收入只要一提高,问题就好办了。全世界最大的金矿在何处?在中国农村。9亿农民,2亿多农户,想想看,只要农民收入提高了,每个农民每年添两套衣服,全国的纺织机一天三班都做不过来了。全国每人每年增加一平方米住宅面积,全国10来亿人口就要新建十几亿平方米的住宅,建筑市场将大大繁荣。2亿多农户,每户添一台电冰箱、一台彩电、一部农用汽车,中国的市场多大呀!因此我们应对中国经济的前景抱有信心。

最后我想重申一句:加入WTO,机会与挑战并存。机遇不是天上掉下来的,要靠我们努力争取。这样,民富的目标一定能实现!

(演讲时间:2002年1月1日)

(录音整理:杨抗美)

江平

WTO 与中国的法制问题

　　江平，中国政法大学学术委员会委员，民法学教授，北京仲裁委员会主任，全国人民代表大会《中华人民共和国民法典》编纂负责人。著名民法学家，被誉为"中国民法三杰"之一。主要著作：《西方国家民商法概论》、《罗马法基础》、《公司法教程》、《民法教程》、《中国大百科全书·法学卷》编委兼民法学科主编、《中国司法大词典》主编。

参加 WTO 以后面临着更激烈的竞争，首先我们看看竞争的法律问题是什么?我看竞争离不开四个法律问题:第一个竞争必须平等竞争，不平等无所谓竞争，也不可能竞争。因此必须要有一个主体平等的机制。第二个问题显然就是叫自由竞争。任何一个竞争都不能有政府过多的干预，竞争就必须是市场竞争主体自己的行为，自己独立的行为。第三个竞争必须是公平的竞争，跟体育竞赛一样，必须有一个公平的制度。第四个竞争里面非常重要的一个核心问题是信用。如果在竞争中没有信用，这种竞争也不可能真正有力量，有竞争力。所以在这个意义上要确立一种信用的机制。我看大致可以概括为，参加 WTO 以后需要在法律制度上和法律观念上加以完善的就是这四大机制。

第一，平等的机制。

第一个问题就是市场准入的问题，这是平等机制里面最低层次的一个概念。

作为市场准入，也就是对于外国的公民也好、法人也好，怎么能够跟中国的公民和法人具有同等的地位、同等的准入，允许中国人进入的行业也允许外国人进入。这是最简单的一个概念，也叫做非歧视性待遇，不能够对不同国籍的人采取不同的待遇。但是我们要看到，在任何国家真正做到本国人和外国人完全平等也不可能，任何国家都不可能做到绝对的平等。我们应该看到在市场准入方面有不同的层次、不同的领域。从参加 WTO 来看，**第一个**领域是货物买卖的领域，或者说是属于货物贸易的领域,有形资产的贸易的领域。这个领域里面应该说现在我们的法律已经做到了国民待遇原则。我们的合同法里面,包括了各种有形资产的买卖,或者其他的一些贸易、其他的一些交易的形式。我们的合同法已经把原来的涉外经济合同法和对于国内用的经济合同法统一起来了。在这个意义上来说,已经意味着我们在实现国民待遇的原则。**第二个**领域就是知识产权的领域。在这个领域应该说我们现在绝大多数的部分已经做到了,一致了,包括我们的三个法律的修改:专利、商标、著作。但是也应该看到任何国家对于高科技的一些特殊技术领域都有一定限制。美国不是也不允许把一些国防高科技的东西卖给中国,或者即使卖给中国还要附加很多条件吗?所以我们现在在技术转让里面还有一些政府的干预。**第三个**领域就是服务贸易。这个问题比较复杂,从世界贸易来看,服务贸易领域太广阔了,电信也好、银行也好、保险也好,都有一个如何进入的问题。证券市场怎样进入?教育也是广义的一种服务,教育市场怎么来进入?我想这一部分现在也在逐渐开放,但是我们的限制程度又比较大了一点。**第四个**领域就是世界各国都有的叫做物权的领域,或者叫所有权的领域。我们国家正在制定物权法。物权里面非常重要的问题是土地,土地是一个国家最重要的资源。不仅我们国家,世界任何国家对于土地是不是允许外国的公民或者法人能够自由来拥有,或者和本国公民同等拥有,甚至包括农业领域里面能不能够拥有土地耕作,是不一样的。这一部分在新制订的物权法里面也有一些特别的规定。**最后一个**是国家控制垄断的领域。军事工业、烟草专卖等等,这些领域某些必要的控制垄断仍然要有。因此我们应该区别不同的领域才能确定进入到何种程度。

第二个问题比较复杂一点,就是双重的保护问题,或者双

讲座丛书

重的标准问题。

双重标准是现在我们需要很好考虑的问题。中国民法通则第142条里面有这么一条规定,讲的是中华人民共和国缔结或者参加的国际条约同中华人民共和国的民事法律有不同规定的时候,有不同规定的适用国际条约的规定,但中华人民共和国申明保留的除外。1986年制订民法通则就争论这个问题。我们中国参加了很多的国际条约、国际公约,特别在民商事法律方面, 在国际适用上面怎么办? 现在大家争论一个问题:国际法和国内法哪个优先? 有人说国内法优先于国际法,因为国内法是主权法,国际法是中国政府参加的。有人说国际法优先于国内法, 因为国际条约是我们参加的, 我们必须遵从。按照现在的142条的写法,中华人民共和国政府参加的条约, 当然也包括国际公约,多边的公约,跟我们国家的民事法律不一样的,要适用国际条约。有人说是不是民法通则承认了国际法优先于国内法的原则了呢?还不能完全这么说。因为这是在专门一章讲的民事法律关系的涉外适用方面, 也就是对外国公民、外国法人,国际条约优先,国际公约优先。这样的话就变成了两重标准了。如果我们参加了国际条约、国际公约,包括 WTO,对于外国公民、外国法人,那要适用国际条约的保护标准。对于中国公民和中国法人,仍然适用国内法。因为这一章讲的是涉外的适用,是对外国公民、外国法人要适用外国条约,而对于中国公民则是另外一种。当然 WTO 是不是叫做国际条约、国际公约又是一个问题。所以这个问题就涉及到我们从 1986 年制订民法通则的时候就规定了两重标准。这样就带来了一系列的问题。举例来说,制订、修改著作权法就争论这个问题。按照我们参加的国际条约、国际公约的规定,著作权里面有一种叫做邻接权,就是包括电视台播放的节目或者广播电台播放的节目, 只要每使用一次作者的作品就要给一次报酬。而我们 1990 年通过著作权法的时候，就因为这个问题达不成一致。按照当时的广播电视部的规定，广播电台不可能有这么多钱来付，每广播一次付一次。所以 1990 年的著作权法规定的是在录制的时候一次给付，以后再播放就不给了。当时很多作者反对，他说我不在乎这几个钱，为什么你播放外国作品就每次都付钱，为什么中国人自己的作品只是在录制的时候给一次钱，播放就不给? 是不是中国人看不起中国人，中国作品不值钱? 这是一个不同等的待遇，这次著作权法修改很重要的一点就把这条改过来了。现在在著作权的邻接权的保护层次上我们已经和国际公约一致了。但是这并不意味着其他领域也都自动改变了。我们民航规定的飞机失事的赔偿标准，现在就差太多了。如果中国人在民航飞机上失事死人，赔偿的标准是比较低的，还不到 10 万。如果死的是一个外国旅客，按照国际公约的赔偿标准是很高的。我碰到一位专门研究这个问题的人说，现在公约，里面规定的人如果死了的赔偿，已经没有统一的上限标准了。每个具体旅客不一样，如果根据每个人的身份，他可能获得的报酬、可能获得的利益来赔偿，就了不得了。从这个角度来说，应该说我们在很多领域里面，包括精神损害的赔偿，都是比较低的。中国一定要搞精神损害的赔偿，但是精神损害的赔偿金额不宜过高，因为中国人收入标准比较低。如果精神赔偿很高的话，一个人侵害了名誉权赔偿几十万、几百万，在中国也不现实。但是要跟许多国家来比也差很大。我们面临的第二个问题虽然不是一个准入不准入的问题，但是你跟国际同样竞争，你参加了国际公约，如果在保护权利这一点上不一样，也会产生很多问题。

第三个问题就是既然中国和外国总不可能做到完全平等，在这种情况下，中和外又怎么来区分?

这是主体的资格的认定了。比如这个公司到底是中国公

讲座丛书

司还是外国公司?是中国法人还是外国法人?这个问题总是要弄清楚吧! 由于我们现在仍然有三资企业法,有中外合资、中外合作、外商独资企业,也仍然有一些领域里面有不同的身份、地位,比如人寿保险可以搞合资,外方 50%,中方 50%,那么谁是中方、谁是外方呢? 这个问题在现在已经越来越尖锐了。我们知道如果订合同两方是外国人的话,或者一方是中方一方是外方的话,过去我们讲是涉外经济合同,现在合同法里面也规定,他可以选择法律;如果两方都是中国的就不能够选择法律。这就有很大的不同了。选择法律可以选择外国法律了。仲裁也会发生纠纷,也有国内的仲裁,也有涉外的仲裁。我们参加了国际仲裁的一个公约,国际仲裁公约规定了仲裁的决定法院必须执行,除了有某些违反程序的东西。但是现在涉外的仲裁裁决有的法院不予执行,引起人家争议,你参加了国际公约,你怎么违背了? 所以现在最高人民法院规定:凡是涉及到涉外仲裁,地方法院不予执行或者要撤销的话,必须经过最高人民法院审核。那么这到底是涉外的还是非涉外的就很重要了。因为我们国家是采取在中国注册的公司就叫中国法人,一个外国的独资公司在中国注册的就是中国法人。那么美国人就会问了,一个摩托罗拉再加上一个通用汽车,都是美国在中国设立的独资公司,他们两个公司之间如果要订合同只能适用中国法律,没法选择,因为两个都是中国法人。他们两个要是打起官司来,在中国应该算作国内仲裁,因为两个都是中国的法人。那么就想不通了,我两个都是外国的企业,在中国来办,怎么我们两个之间的纠纷会变成中国的法人纠纷了? 要适用美国法律也不行了?随着我们参加 WTO 或者国际经济一体化,中国的企业在国外设立的越来越多了,跑百慕大去设立,跑开曼群岛去设立,其实全是中资的,最后回过来又算是外资的了,算外国的了。我们仲裁打了许多涉外官司,打了半天实际上是中资在外国的企业跟中国企业之间的官司。我想这个问题涉及到一个更深层次的问题,就是在参加 WTO 以后,如何来认定、从法律制度上更好地完善一个企业的性质。公司法里面有一条明确的规定:股份公司的发起人至少是五个人,而五个人里面要不少于半数以上在中国境内有住所。就是说半数以下的可以在境外有住所。怎么来理解在境外有住所? 就是一个公司的住所地,总部的所在地,总部所在地在境外就是外国的呀!如果现在一个外国的公民、外国的法人在中国来办一个公司,我不享受你三资企业待遇,我完全按照你公司法,我也不享受你减免税待遇,我也不要求我的利润拿外汇汇往国外,我就拿人民币出资,跟中国股东一样分配利润可以不可以?这个国民待遇原则能不能做到?现在在我们的看法也不一样。怎样来理解这个国民待遇原则?怎样实施这样一个东西? 显然这些问题都是需要我们很好考虑的。

第四个问题对我们来说更深层次的就是参加 WTO 以后,我们在某些权利保护的机制上跟国际接轨的问题,站更高点上说是人权保护的问题。

我讲这个问题是讲某些东西不接轨。比如西方国家人的权利受到侵犯以后都可以到法院去告, 法院是应该最后来解决保护权利的。可是我们法院有很多限制,这种情况的案子我不受理, 那种情况的案子我不受理。现在包括体育纠纷也有了,比如广州吉利告到了法院,告的是体育方面的一些事情,到底应该不应该受理呀? 现在有些案子法院没有规定不予受理或不予保护。随便举个例子,有一个报上登了,父亲死了以后,三兄弟中一个没有及时通知另外两个兄弟,他说侵犯了我的悼念权,本来我要悼念父亲的,你不通知我。法院说法律上没有规定这种悼念权。再比如说过去有很多行政解决纠纷的渠道。专利、商标发生了纠纷就是在专利局、工商管理部门来

66

决定,不能够再告到法院。这也不符合国际惯例。世界各国任何行政机关不能够作为最终来解决民商事纠纷的机构。我们国家的经济合同法过去还规定工商行政管理局可以确认合同无效,那当然不行了!合同效力的纠纷怎么能够由行政机关来确定呢?这当然老早改了。再举个例子,比如说参加 WTO 的文件里面有一条规定:任何法律实施过程中发生的争议都可以告到法院,包括司法审查。什么叫司法审查?对于政府的抽象性的文件,我们叫抽象性行政行为,也可以告。西方国家的司法审查制度就是法院可以撤销政府的文件,不是具体的处罚文件,对于政府的一些规章、规定可以认为你违法,可以撤销。现在我们就在争论这个问题。中国没有这个制度,没有司法审查制度。我们的行政诉讼法对于政府的行政处罚行为不服可以来告,如果法院认为这个文件违法的话也可以撤销。但是只是对于处罚行为才是这样。所以现在我们在考虑将来在司法审查制度上怎么办?比如违宪的问题,我们现在也没有真正的违宪的诉讼,这也有一些问题,将来到底怎么样? 比如说大家都知道我们现在证券的民事责任,虽然证券法有某些规定,但也不是非常具体的。如果在证券市场里面有披露信息虚假、有操纵、有内幕交易这样的一些问题,如果当事人的权利受到侵犯以后告到法院,法院受理不受理?按理说我的权利受到侵犯,当然应该受理。但是前一段最高人民法院也说暂不受理。从民商事主体的权利来看,将来我们的法院也好,我们法院受理的范围也好,应该都有一个更广泛的跟国际接轨的问题。比如说破产制度,我们现在的破产法仅是国营企业的。虽然民事诉讼法稍微扩大了一点,还仅限于企业法人,还只是民事诉讼法里面的。我们现在也要制订新的破产法跟国际接轨,因为破产法里面有保障很多人的利益的问题。金融机构特殊点,我们搞了个金融机构特殊的办法,其他怎么办呢? 这是一个更高层次的参加 WTO 以后的问题。

第二,讲讲自由竞争。

如果说平等竞争是竞争的法律基础的话,自由竞争就是竞争的动力。西方国家的市场经济的竞争在法律上号称三大自由。一个是所有权自由。所谓所有权自由西方国家法律上老早就确认了,法国民法典,也叫拿破仑民法典就确立了。任何人对其财产完全有充分自主支配的自由。私人财产神圣不可侵犯,私人财产完全自由支配。第二个是契约自由。契约自由是西方国家市场经济的一个基石。契约当然是自由约定,自己主张内容,谁也不能干预。第三个营业自由。我想开办企业的话有我自由,除非国家规定的某些特殊限制的领域,比如金融业我不能随便开银行,但一般领域谁也不能说不许我来经营。我们要搞市场经济如何接轨呢?第一是我们现在制订物权法;第二个是在合同法;第三个营业自由是在公司法和其他的企业法。我们现在还没太多自由,要经过批准的东西、限制的东西还比较多。从历史发展来看西方国家跟中国现状,是两个不同的趋势。西方国家是从过去绝对自由现在走向越来越多一点的政府干预、政府限制,或者叫社会公正这个概念。美国有一个教授到中国政法大学来讲课,他说如果美国有一个人在纽约买了一块地,他要在这块地上盖房子,盖五十层楼、八十层楼,可是政府说不能盖这么高,或者说这块地不能盖房子只能当绿地。如果在四、五十年前打官司,个人肯定胜诉。个人财产自由,我买了这块地盖房子,盖什么房子、盖多高都是我决定的,政府怎么能够限制我呢? 但是今天美国观念也改变了,那个人也要败诉了。因为他还有一个个人所有权要服从社会整体利益,有某些限制。到过纽约的人应该知道曼哈顿下城那地方,高楼密密麻麻,都是几十层。那就是绝对自由的时候,每个人都可以盖,你盖三十层,我就盖四十层,你能盖四十层,

讲座丛书

我就盖五十层。一个城市都是这么样密密麻麻的,可真是没有阳光,没有空间了。美国是从过去绝对自由走向限制所有权,限制了某一些营业。中国是从计划经济现在走向自由,从过去的完全政府干预走向现在的减少干预。所以两个历程不一样,两个方向不一样,但是都走向一个共同点。从这个意义上来说,西方国家是更多地要反对过去的绝对自由,而中国现在恰恰是重点要反对政府的干预。因为过去几十年来中国的政府对于民商事的领域或者叫做私法领域干预太多了,甚至不承认有一个私法,不承认有这个领域。今天承认了,但是真正建立私法领域还很不够。自由和干预显然是一对矛盾,有了干预自由就少了。如果我们不强调绝对自由那就承认要有某些干预,这种干预可以理解为是国家的干预。国家的干预应该说是有三层的概念:第一个是立法的干预,第二个是国家通过行政手段来干预,第三个是司法干预。参加 WTO 以后,我们就要从这三个领域分别来分析会有哪些变化。

第一个来看看立法的干预。什么叫立法的干预?在民商法的领域里面,在私法的领域里面,国家干预意味着什么? 这就是我们常常讲的强制性规范和任意性规范的关系。我们国家长期以来法律几乎都是强制性规范,计划经济下面,哪怕有一些市场也都是强制性规范。我们长期以来实行的经济合同法全是强制性规范。因此可以说在中国人的观念中,法律似乎就是强制性规范。如果说法律不是强制性规范,有人还不懂,说你简直是荒谬,法律不强制,那还什么强制呀? 可是法律的强制性和强制性规范又不是一回事。记得我们国家 1993 年通过海商法以后,那时经济合同法还存在,我有一次给工商部门讲课,我问他们一个问题,那时候工商部门还有一个合同管理部门,我说你每天都是管理合同的,如果当事人之间签订的合同与法律规定的不一样,你怎样认定?你认为这个合同是合法的还是违法的?是有效的还是无效的?他说合同的内容和法律违背,这不就是违法吗?违法不就是无效吗?我说要照你这样理解的话,刚刚通过的海商法里面有个第六章,讲的是船舶租赁合同,这章开头就这么讲,本章有关船舶租用的规定只是在当事人没有约定,或者没有另外约定情况下使用。就是说当事人之间订的合同跟海商法这一章的条文不一样的时候,法律恰恰认可的是你自己的规定,而不用法律的规定。只有当你自己没有规定的时候,才能够适用法律的规定。我想这就给我们提出了一个非常重要的观念,就是法律上有法定和约定之分。法定是法律的规定,约定是合同和章程里面的规定,是当事人自己的约定。法定是国家的意志,立法者的意志,统治阶级的意志。约定是当事人的意志。当法律规定、国家的意志跟当事人的意志不一样时候怎么办?如果说在公法里面当事人的意志必须都服从国家的意志,在市场领域里面就不然了,倒过来说,国家的意志应该说可以服从当事人的意志。当事人的意志如果是这样规定的,跟国家规定的不一样是允许的。这就是哪个优先的问题。如果法定优先于约定,有法定必须依照法定,没有法定的时候才能够依约定。这就是强制性规范。如果法律允许约定优先于法定,就是任意性规范。我们现在的立法在这个领域里面已经开始注意,从合同法开始,已经开始注意越来越多的任意性规范。但是其他领域怎么样?随便举一个例子来说,很多人认为公司法的领域仍然都是强制性规范,我的看法不一样。不久前有人问我一个问题,说现在不少公司搞CEO,学了美国,搞了首席执行官。中国的公司法没有CEO,只有董事、经理,他问我这个违反不违反公司法?这种做法是不是无效?如果是违法就应该是无效,应该取缔。这就要认定公司法有关公司管理机构里面的某种规定是强制性的还是任意性的。如果是强制性的当然是不行的,你要是任意性的,它就可以。规定了董事必须由股东会选举,你现在搞的独立董事是董事会聘任的,违反不违反公司法呀? 又来争论了。我们现在仍然是强制性规范太多。市场经济里面要给予当事人的自由首先在于立法上要给他多大空间,自由的空间。法律没有自由空间还有什么意义? 在制订统一的合同法的时候就讨论一个问题, 合同法是详细一点好还是简略一点好? 现在是 420 多条。当时争论,有人说应该是越详细越好,过去我们的法律就是太简单了,太原则了。有人说那也不行,你要是太复杂了,定了五六百条都那么细,怎么行呀? 当事人不是受约束了吗? 所以法律详也好简也好,又涉及一个问题,你是强制性规范还是任意性规范? 如果五百多条、六百多条规定得非常详细,都是强制性规范,那不是国家在给当事人定合同吗?如果要都是强制性规范就没有必要搞那么多条, 更多地约束当事人的意志。如果多一点条文,但有任意性的,那不是可以更好吗?

第二个就是行政的干预。行政干预应该是我们现在的重点, 政府的行政干预应该说是参加 WTO 以后非常致命的问题。我想着重谈三个方面的问题。第一个方面就是行政权力干预的度,到底到什么程度? 我给大家举几个例子,这种例子现在非常多。比如说前些年北京的王府井南口有一个美国人办的麦当劳,那时李嘉诚在北京要搞东方广场,第一步要把那些房子拆掉。中国人的企业都好说,政府一条命令谁敢不服从? 可是麦当劳快餐店是美国人办的,你就要跟他交涉了。开始时美国人不愿意搬,王府井南口多好啊! 让他搬走赔偿他,他不干!那时候我正好到美国去讲学,两个美国的律师事务所都问我这个问题,为什么美国人在王府井开麦当劳快餐店,合同定了 14 年, 刚 2 年你们就让他搬走? 你们政府保护不保护私人的利益,保护不保护外商投资者的利益?我说我们的三资企业法明确规定,对于三资企业都不实行国有化。但是社会公共利

71

益需要时可以征用,可给予补偿。你们美国有,世界各国都有,社会公共利益需要都可以征用。美国人说是呀,世界各国都有限制,但是请问你们什么叫社会公共利益需要?如果你在王府井南口搞图书馆,搞国家歌剧院,我没说的,可是你把这块地拿走搞东方广场,那里可能又开快餐店、饮食店,怎么他搞快餐就是社会公共利益需要,我搞快餐就要让我走?这问题已经是提得很明显的了。所以我们物权法立法时马上有个问题,征收和征用社会公共利益需要怎么界定? 什么叫社会公共利益需要?我们现在什么东西都是社会公共利益需要,你怎么来理解?上海松江县有一个台湾投资企业,经营得很好。现在松江县需要规划,这块地方作为文教区让他搬走,当然给以补偿。他告到法院,马上争论一个问题,什么叫城市规划? 县政府的城市规划能不能作为一个规划? 乡里面搞一个规划算不算有法律的依据?城市规划法里面规定的是哪一级的规划?现在我们很多县政府动不动就是城市规划,让你搬走。我的合法利益怎么办? 不能县政府一个文件,就按照这个规定来办! 不仅是涉外,我们国内也有这个问题。今天给你了营业许可办网站,明天说关闭。当初你是给我许可让我来开的,今天你政府改变主意了,不让办了,侵犯不侵犯我的利益呀! 你是按照政府的行为发给他营业执照,允许他来经营,但是今天你又取缔不让办了,他的损失怎么办? 如果他是非法经营又是另外一个问题。这就涉及到政府行为不能太任意,政府行为的任意性侵犯了合法经营,应当赔偿。第二个方面非常重要,就是参加 WTO以后,为了防止地方利益的任意性,我们特别在合同法 52 条里面规定,合同如果要是无效的话,必须是违反法律和行政法规中的强制性规范才能叫做无效。仅违反政府的部门规章是不行的,省、直辖市、自治区的地方人大通过的地方法规也不行。这是非常重要的一条规定。市场经济的法制不能够没有统一性。如果一个外国投资者到了上海，上海说这种行为有效；同样的投资到了贵州，贵州说这个在我们地方是无效的，不允许的，那他怎么理解中国市场经济的法制的统一呢?鼓励措施可以不一样，给的地价可以不一样，但是这种行为构成有效还是无效，尤其是构成无效，必须是法律和行政法规规定的，这才行。这样的话就可以知道这种行为在中国法律里面应该怎么来评价，有个统一的东西。我们过去的房屋租赁合同全国都乱了，有的地方规定房屋租赁合同没有经过登记都是无效，有的都到了省人大一级通过。参加 WTO 以后我们不可能在这么多领域里面都是无效的行为呀!动不动这个无效，动不动那个无效呀! 在市场经济里面一个无效的行为应该说从经济上说是最不合理的行为。从结果来看，什么叫无效合同? 合同的目的达不到了，本来我能赚这笔钱赚不到了。无效了以后还要恢复原状。如果是一个买卖合同，我给你的钢材你退还给我，你给我的货款我退还给你。这样经济损失很大。过去我们法院的判决动不动就搞无效。从这个意义上看我们要解决这个问题就是要限制这个无效的范围，不能动不动就是无效。那么一个就是任意性规范，一个就是限制违反了哪些东西才能叫无效?不能违反了你一个县政府的规定就叫无效吧?第三个方面限制政府的权力应该说限制政府作为民事纠纷的解决的权力。任何一个国家政府都不能是最终解决民事纠纷的机构。政府自己还可以做被告呢!民商权利最终解决的机构是法院，或者仲裁机构。只能够靠私法救济，这就是刚才讲的包括专利、包括商标里面的一些纠纷，现在两个法的修改已经撤消了行政解决作为最终程序的规定。任何行政机关对于解决民商事纠纷可以做某些规定，但是你必须最后允许当事人告到法院。专利到底属于谁的发生纠纷了，商标权的归属发生纠纷了，最后都可以告到法院。我想这三层是对政府权力的限制，但是我们现在有些做了，有些还是不够。

第三个就是司法干预。应该说又是一个比较复杂的问题。到底法院能不能够干预私权利？能够干预到什么程度？最近有人咨询我一个案子。当事人一方主张这个合同应该是重大误解，法院看了以后说这个合同本身是显失公平，在判决中对当事人提出的重大误解不管了，法院自己判决这个合同是显失公平。这里面就有一个问题，法院能不能没有当事人的请求，自己认为合同不公平来变更当事人之间定的合同。司法机关是解决纠纷的，能不能主动介入到当事人订立的合同公平不公平，合理不合理？这个问题我们一直有争论。法制日报在前不久登了一篇文章，"法官应该是掌柜还是掌勺？"这个题目很有意思。讲的是有一个当事人不太懂法律知识，法院也觉得应该帮助他，可是又碍于法官应该是中立、公正，不能主动地给当事人出主意，所以最后判决了，当事人不知道自己权利受到损害了。这个评论就是你是掌勺的就管点技术，你是掌柜的你就能拿大主意，他的意思就是你应该作为掌柜的，不应该作为掌勺的，你应该提醒当事人，而不应该不管。所以现在法官到底应该是掌柜的还是掌勺的？有的法官说法院无所不能，法院只要认为当事人不对就可以改变；有的人就认为法官、法院还是应该中立，当事人请求我什么，我就来做什么，当事人不请求，我就不能干预。这两种观点看法不一样。究竟将来我们法院在解决当事人纠纷里面扮演什么角色？看法并不一致。但是现在起码可以肯定一点，越来越占上风的是法院不能干预当事人之间的权利。哪怕是欺诈也好、胁迫也好，当事人提出来才能撤销。法院不能自己说这就是欺诈、这就是胁迫。这些问题现在看来也有一个我们法官判案的水平如何和国际接轨。

第三，公平机制。

讲座丛书

公平机制说透了就是公权力的合法干预。我们知道世界各国近一百年来出现了公权力对于市场经济主体或者叫私法里面的合法干预手段。这合法干预手段大致是三大类。

第一类就是竞争法。为什么对这一类干预呢?你想想本来两个企业合并完全是我们两个的事情,但是如果两个企业合并造成了垄断,国家就要反对了。价格本来我们可以协议,我们三家企业共同来决定一个价格的协议,但是你们的协议违反了社会公共利益,你操纵了价格,国家就要干预了。可见竞争法就是国家公权力对于私权利的合法干预,是世界各国都承认的干预。市场自由竞争的秩序就要用这个手段来保护。所以参加 WTO 以后,我们不能再用行政的手段来干预了,但是应当充分运用法律所允许的公权力对私权利的合法干预,主要就是反垄断、反倾销、反不正当竞争、反政府补贴这几个,主要是前三个。这些法在世界各国都冠以"反"字,说明政府公权力对你的干预,谁来反?国家来反,这就是合法的了。对我们来说比较重要的是反垄断法没有搞。什么叫兼并?比尔·盖兹的微软,美国政府要以反垄断法让他一分为二。可是波音和麦道两个生产飞机的公司合并了,美国政府又允许。所以这样一些东西界限怎样来确定?价格的协议什么叫合法?什么叫违法?铁路涨价了,怎么看?政府的涨价行为又是许可的,企业之间的价格协议又是垄断性的,怎样来确定?我们现在面临着这些问题。包括回扣的问题,现在回扣在世界各国都是大问题。如何确定它的性质?回扣怎么看做是变相的贿赂呀?美国 30 年代有个很有意思的案例。美国在 30 年代经济大危机,很多工人失业。其中有个工人失业后第一次找到工作,他把雇主给他的工资的一部分又还给了雇主,意思是现在失业的人太多,你别解雇我。就为这个事,其他的工人通过工会向法院提起诉讼,说这是不正当竞争行为,这是个变相贿赂行为,要是都这样的话就没有平等竞争的机会了,我就找不到工作了。这个案子比较复杂,最后一直到了美国最高法院。美国是判例法国家,最高法院的判例大致是这么个精神,说一个人给另外一个人钱,如果是对于他的劳务的报酬那是合法的,人家给你提供了劳务,给你提供咨询服务,这个报酬是合法的。但是一个人给另外一个人钱,仅仅是为了保留一个机会,或者买通一个机会就是违法的。这就是市场经济的一个重要的原则,机会面前人人平等,竞争就是机会面前人人平等,你要是花钱买一个机会这是违法的,是不正当竞争。我觉得这对我们将来的立法有参考价值,我们现在花钱买机会的太多了。过去物资缺乏,那是卖方市场,有个 200 吨石油的批件我卖给你,你给我好处,那是机会。拿到彩电票我就能买彩电,那都是机会。现在商品丰富,成了买方市场,我要买你的药,你给我回扣,性质是一样的。所以我们要完善各种竞争法,用这种竞争法,用公权力的合法手段,来保护我们自己的市场经济秩序。

第二类公权力对于私权利的合法干预就是世界各国通称的社会法。社会法是什么?比如说过去劳动力的雇佣,当事人契约自由吗!我愿意给你订合同,规定工作 15 个小时就 15 个小时,我愿意雇佣你 14 岁就 14 岁。劳动条件什么样都是当事人自由约定。但是现在明确规定这些东西国家必须干预。劳动条件如何、劳动时间多少、童工不能雇用、工资最低多少等等,必须有这样的一些保护手段。现在有一些三资企业,当然主要还是我们中国自己的香港的、台湾的,劳动条件、工资实在是侵犯了劳动者的权益。这些问题也应该在参加 WTO 以后重视解决。自己不重视对于自己的职工、自己的劳动者的保护,一味地去迁就,侵犯了劳动者的权利也谦让,也不采取必要的法律制裁的手段,等于自己把属于自己的主权的那些东西转出了,那也不行的。

第三类国家对于权利的保护就是消费者利益的保护。对于消费者利益的保护现在越来越重视。比如拿日本的东芝电脑笔记本为例。大家都知道,对美国同样的产品赔了10亿美元,没有让美国的消费者打到法院,是主动赔的。但是同样的产品卖给中国的消费者,一分钱也不给,而且态度很硬。所以当时我们有些律师帮助打这个官司。后来我问:"日本人有什么理由?"说日本人一条理由就是美国对于消费者利益保护的水平大大高于中国。我对这个是深有体会的。有一次我去美国看到一个判例很有意思,有一个人1994年在阿拉巴马州买了一辆最新的宝马汽车,花了4万美元。回来一看漆是重新喷过的,别的地方都是新的。找到商家,商家承认了,漆由于酸腐蚀重新喷过,没有告诉他。这在美国就构成了对消费者的欺诈。到了一审法院,判的是赔偿4000美元的瑕疵补偿,另外由于你对消费者故意隐瞒,判了400万美元。判给谁?判给买车的人。二审认为高了,改为200万。也就是买一辆车是4万美元,最后由于质量有瑕疵加欺诈隐瞒,可以罚到50倍的赔偿给消费者。我们现在是双倍,也有人提了,对于这种商家故意欺诈的行为是不是要提高处罚?台湾现在是300%,比我们还高。这是国家公权力的合法干预,保护消费者、弱者。

最后,信用的机制。

信用的机制应该说是市场经济减少风险的必要的法律手段。任何市场都有风险,没有没有风险的市场。但是市场的风险必须要保持在正常度,这就是信用。可以说市场的信用和市场的风险恰恰成反比。信用越高,风险就越低。反之信用越低,风险就越高。信用从法的角度来看是和经济学的信用不一样的。法律角度来看信用最重要的一个观念就是他个人也好、法人也好、公司也好,它履行义务的能力有多少,偿还债务的能力有多少?借了钱能够还多少钱?如果从这个角度来看,我们的信用机制大致能够从四个角度来分析。

第一个就是资本信用。我们现在公司和一些企业都是实行了资本信用的机制，以出资多少作为信用。出资500万就是500万的信用，出资1000万就是1000万的信用。这里面最大的问题就是现在出资不实，皮包公司，仍然是困扰我们市场的主要问题。资本信用机制是市场里面一个很重要的方面，主要体现为公司和企业注册资本的真实。整顿市场秩序，在这点上也要加强，加强对注册资本虚假的责任检查追究。这里面问题很多。

第二个就是商业信用。我在这里说的商业信用主要指的是合同信用，履约的信用。借了钱要还，签了合同要守信用。这部分我不讲了，因为这部分涉及到合同里面履约的问题。

讲座丛书

第三个应该说是涉及到我们讲的破产和重组里面的信用。由于我们现在的破产法很落后，现行的破产法主要是用于国营企业，而破产法应该适用一切企业，甚至包括合伙企业和个人独资企业。世界各国破产法中最新的发展恰恰是要加强对于重组程序的规定。这是一对矛盾。破产就是没有信用了。美国安然公司的破产给美国造成了很大的冲击。原来是这么大的一个公司，它的破产会影响到整个的经济，国民经济会受到冲击。如何能够避免破产？采取重组的程序。为什么我们在给郑百文改制的时候提了法律意见，最根本的一个思想就是我们必须要区别一个企业自己造成破产以前的违法行为的追究，和它濒临破产或者快要破产时挽救它避免破产的措施，这两个是不同的概念。郑百文你可以追究破产以前的虚假的信息，或者其他的一些贪污行为，因为你造成了一个企业破产，搞得这么坏，必然要有人来承担责任，必然有违法的行为要追究，这是一个问题。但是世界各国现在都尽量避免破产。因为一旦破产了以后，股东一分钱没有了，债权人能拿的也很少，在我们国家的情况,有的债权人甚至一分钱也拿不到,职工都要下岗了。所以世界各国现在都尽量避免破产,搞重组的道路。重组的道路就是大家互相让步。既然破产了,股东不能拿那么多钱了,债权人也放弃吧,新来的债权人有的就变成股东了,他也承担一些吧!在这样的情况下来恢复这个企业的信用。所以我们一定要把信用的这两个程序分开,这样的话能够使得我们的经济避免一个更大的震荡。大家可能都知道新加坡里森案件,他是英国有几百年历史的巴林银行的职员,由于他在东京金融衍生期货市场作交易亏本,造成了有几百年历史的巴林银行破产。最后怎么办呢?一旦银行金融机构破产,那市场震动太大!最后荷兰的一家银行用一个英镑买过去了,解决了。一切债务它来清偿。我们现在也是尽量避免金融机构的破产。所以人民银行不久前颁出了金融机构退出的办法,这是没有办法了。如果一个金融机构破产,一个银行破产,这个震动太大。所以参加 WTO 以后我们要会运用破产、重组和金融机构的行政退出这套机制,如何使得信用达不到的时候,快要破产的时候,尽量避免对于整个经济界的震荡,这是很重要的,现在正在研究这个问题。

最后一个问题是信用如何变成信息?现在这个问题越来越成为热门的话题。北京不久前就开过好几次这样的会。我记得大家对于信用的问题都给予特殊的关注。当然这信用里面还包含着法律机制的完善。法律机制很重要的一个就是这个信用如何变成信息?比如说法院的判决,如果我想投资于一个企业或和它订一个合同,我怎么知道它有没有法院的判决有待执行啊?我想投资 5000 万,刚投完,法院一个判决执行8000 万,那我不是投进去没有了吗?我怎么知道它有没有欠税呢?我怎么知道有没有欠银行贷款还不了的?或者给人做了担保最后债务还不了,要承担连带责任?参加 WTO 以后有一条重要的东西，就是将来政府的文件也好、法院的判决也好都应该公开。这对我们很重要。法院的判决不仅是给你当事人，别人都可以看。除非你是不公开审判的，有国家机密或者隐私，不然我都可以知道。而这一来对于我们的法院的要求就很高了。法院的判决能不能经得起所有的人来看？法院判决合同无效连是哪个法律法规都不引用，现在要求你必须引用，违法的是哪个法律，哪个国务院法规的第几条，你得说清楚。笼统来一句"违法无效"，那不行了。这样就要求法院的判决也要说理，也要引经据典，也要说明理由。不仅法院判决信息的掌握，政府文件的信息的掌握，包括企业的资信状况的掌握，世界上现在有许多这样的机构，有关一个企业也好，一个个人也好信用状况的咨询服务。如果现在我想了解他有哪些不动产，想了解有哪些银行的贷款有没有还，可以不可以？个人存款还是秘密，其他的财产是否构成私人秘密或商业秘密？这些东西能不能构成个人的信用？现在我们已经开始搞个人的信用的制度了。个人独资企业法规定个人独资企业以他全部财产抵债，全部财产是多少我怎么知道？我怎么了解他的个人信息呀？哪些可以公开？哪些不可以公开呀？我们讨论物权法就讨论这个问题，每个人的不动产房子，房屋管理的登记行为是不是都可以去查？有的说可以自由查，有的人说不可以自由查。有人说为什么不可以自由查？我现在要买房子，我去查查这个房子属于谁的，怎么不可以呀？有人说如果随便去查的话，一个小偷、一个强盗也可以去查？查完之后会不会有利于犯罪呀？你买了房子我能不能查？不是税务部门查，不是法院查，我个人查行不行？信息社会哪些东西可以变成为信息，我能够掌握？我对于你信用的程度能不能了解？我们现在对银行有信用评估等级，三个 A，两个 A。我怎么能够了解你信用的状况呢？所以参加WTO 以后，在这些问题上我们显然面临着很多挑战。有些制

讲座丛书

度没有建立起来,特别是关于企业信息的咨询机构。我可以通过这个来了解,但是前提必须要信息真实,如果上报的统计数字都可以造假,那你这个咨询的信息也是假的,还不如没有。有了这种咨询服务机构更贻害无穷。所以我们国家必须要建立信息法,里面有关信息的虚假应该承担的法律的责任,这样才能保证信息的真实。

提问:请问江教授有关体育界的法律问题。针对前一段中国足坛的假球黑哨问题, 您认为两高是不是应该作出相应的司法解释?如果两高迟迟不做出相应的司法解释,那么全国人大常委会是不是可以做出相应的司法解释?

答:司法介入是笼统说法。司法介入可以说有三个方面。一个是民事的问题,就是侵犯了名誉权和侵犯了自由权。世界足坛最新的趋势包括比利时的博斯曼法,如果我的转会受到了限制,剥夺了我职业的自由,我可以告到法院。侵犯了名誉权也可以告到法院。现在法学界通常认为民事权利的侵犯特别涉及到职业的权利和名誉权法院是应该可以受理的, 但是现在还没有受理。第二个是行政诉讼。行政诉讼的问题涉及到一个认定的问题。体育管理总局当然是政府的机构了,我们的体协也好,足协也好,各个协会是不是属于政府机构? 行政法的专家一般认为这个问题按体育法里面规定, 国家体育管理机构可以授权这些协会组织来实施管理,进行处罚行为,因此被认为具有一种行政管理的职能,他可以进行处罚。当然看法也不一致。第三个问题就是刑事的问题。刑事的问题是相当复杂的,因为涉及到裁判的身份问题。按照现在来看贿赂的行为一个是国家公务人员,一个是公司职员,或者按照西方国家一个叫公务贿赂,一个叫商务贿赂。公务利用国家权力,商务从事商务活动。裁判既不是公务人员, 也不是公司人员,怎么办?他到底按什么身份呢?所以你说的这个问题需要很好的研究,现实生活中出现了很多新的问题。

提问:刚您提到违宪的问题,中国建国 50 多年了,违宪的现象好象是不难发现的。您对这个问题是如何理解的呢?

答:违宪的问题应该从三个方面来看。某些宪法的权利违反了可以告到法院,比如说选举权。选举名单没有了你可以告到法院,老早就有规定。这是一类。第二类是宪法中的权利已经落实到具体法里面了。比如说宪法里面规定有劳动权,那么劳动争议纠纷也可以告到法院。宪法里面规定有所有权,财产权当然可以告到法院。不久前山东齐玉玲的教育权问题,其实也不完全是宪法权利,因为宪法权利已经落实到具体的法里面了,教育法也规定了受教育权。第三类就是将来参加 WTO 以后,比较大的问题就是我们通常讲的某些属于人权的问题了。西方国家有宪法法院,我们国家有的人权就是在民庭受理了,名誉权这样一些东西都是在民庭受理了。我们国家到现在没有专门的宪法法院,这是跟各国不一样的。这个意义上最严格的宪法诉讼应该是包含了对政府的违宪行为的控告。由于我们现在的体制各个方面的原因,第一步先要从司法审查制度着手。现在一般的普通法院对政府的抽象性文件如果违反了法律,能不能予以撤销?现在法学界非常注意这个问题,无非是三种模式,一个是宪法法院,一个是宪法委员会,一种就是由普通法院来行使宪法法院的职能。我们现在只能说是第三种模式,还不完全。

提问:咱们国家现在法律改革的速度远远超过建国几十年来的速度,而且是从计划经济向市场经济转变的过程。咱们国家立法一惯有些试点,再普遍推开,如果发现法律比较适合的话。这么快的改革速度,如果发现立法有不适合国情的话怎么弥补呢?

答:试点的问题在改革开放的初期,或者说按照小平同志

讲座丛书

讲的是摸着石头过河的情况下，应该是可以理解的。但是在法制比较完善的情况下，没有法律制度先来搞试点，从道理上来说是不太合适的。我为什么说这个问题呢？它也有很复杂的一面。就是中国的法律制度究竟是先有了实践再立法呢？还是立法以后再有实践？这是个非常大的问题。从任何国家来看绝大多数情况是先有实践后有立法。就拿公司的制度来说，公司立法最早也是前300年，可是公司的制度实行已经有更长的历史了，中世纪的时候就已经有了。拿1600年成立的英国的东印度公司为例，那时候也没有公司法，但是皇家特许成立了东印度公司，第一个股份公司。不是先有法后有股份公司，是先有股份公司然后才有立法。你也不能说他是试点还是不试点，社会生活中先出现了。在中国大概没有社会实践先有法律的，据我所知有这么几个：第一个行政诉讼法，行政诉讼法确实是没有诉讼法就无法打法律官司。第二个专利法，专利法是没有专利法根本无法申请专利。再有一个可能就是1979年的第一个合资企业法，那时候外商来说你没有合资企业法我就不来投资，所以那时候据我所知也是先有的法。其他的包括中外合作企业等都是先有了企业，最后才通过法。1978年以后有了中外合作企业，1988年才有中外合作企业法，晚了近10年。所以应该说这两种情况都有，有的是先有实践后立法，有的必须是先立法以后才有实践。不能说只有一种，我们只能够先立法再实践，这不符合实际。参加WTO以后，我们应该走向法制社会，先有了法律，我们才会有了某种的实践。举个例子，比如说我们制订合伙企业法的时候，曾经有一章写的是有限合伙，后来有关部门认为中国没有有限合伙，所以把它划掉了。说中国没有有限合伙，有限合伙规定完全是抄美国的，等将来中国有实践的时候再立法。可是现在大家看到了高科技投资有限合伙是很重要的。中关村科技园区条例是北京市人大通过的,在中关村科技园区可以设立有限合伙。到底应该是先有法还是先有实践呀?问题就来了。有人说你没有有限合伙法,到工商谁给你登记呀?没有法呀!可是立法部门当时又说中国没有有限合伙立什么法呀?不是无的放矢吗?这出现了一个循环,鸡生蛋,蛋生鸡又来了。立法部门说应该是先有实践,没有实践我依照什么立呀?而工商部门没有法律规定,我怎么给你注册有限合伙?无限公司现在能成立吗?现在世界有许多无限公司,你们现在想到工商部门注册一个无限公司,它决不给你注册。你没有无限公司的法,你怎么成立无限公司?所以这是一个很有意思的问题。我是一般不主张试点的,有些东西先有实践后有法律,这也是正常的,不能够说完全不正常。

讲座丛书

提问:想问江教授关于股权和公司财产权的问题。比如公司法规定国有资产归国家所有,国家的股份归国家所有。很多学者认为这是原则性错误。但有人认为这是所有权和股权的兼容性。您认为入世之后公司制度日益完善,国家这种所有权是应该坚持、放弃,还是选择一种中间弱化的道路?

答:你提的是公司法里面常见的问题。应该说公司法第四条的写法肯定是错误的。但是我也想把这个背景给大家讲一讲。我们知道公司法是 1993 年 12 月底通过的。1993 年的 11 月要召开一次中央全会,纪念十一届三中全会召开 15 周年,准备要通过一个很重要的关于市场经济的规定。其中想就现代企业的产权制度做出一个规定。这个现代企业的产权制度到底怎么规定呢?就想把原来的国有企业模式加以改变。原来国有企业也是两权分立,哪两权呢?国家所有权、企业经营权。这个模式显然不合适了。国有企业对它的财产没有所有权,也就没有最终处分权,很多事就不好办了。所以就准备改变。怎么改变呢?在决议的草案里面是这么改变的,变成国家享有的是终极所有权,企业享有的是法人所有权。新的两权分立了。企业享有了所有权了，从经营权变成了所有权了，可以完全支配了。国家是终极所有权了，国家只是在公司、企业终止了以后才是所有权人了。这个精神是对的，已经类似公司的概念了。公司享有所有权，股东是享有终极所有权，股权。但是拿到会上一讨论，提出了两种意见。有一些老同志提出来，怎么把国家所有权变成终极所有权？变成法人所有权了？这样是不是把全民的财产变成法人的了？企业的了？那这就可怕了！认为与宪法不符。法学家也有人提出意见，怎么所有权分开了？双重所有权了？法人也有所有权，国家也有所有权，在大陆法概念中不能有双重所有权概念，提出了疑义了。所以这时候就想一个办法，避免用法人所有权，但是要把这个意思写进去。所以大家注意到这就是1993年11月份中央全会上的话最后写进了公司法，就是公司享有的是全部法人财产权，国家享有的是所有权，不变！其实全部法人财产权也相当于所有权，只是不用这个字。因为国家已经是所有权了，你就不能再叫所有权了，所以是全部法人财产权。全部法人财产权是什么？又有争论了，全部法人财产权不就是全部的法人财产权，那还不包括所有权在内呀！而我们的观点始终认为公司法里面的两种权利就是公司享有自己对自己财产的所有权，股东享有的是股权，当时因为不好提股权所以就形成了这样。所以在公司法的第四条里面就保留了这样一句话：国家享有的是所有权，公司享有的是全部法人财产权。这就是当时的历史背景。这种写法准确不准确？当然是不准确的，但是这是历史条件下在1993年底形成的说法。从法律的意义上来说不很准确，这是中国改制过程中出现的问题。

　　提问：现在社会法的范围在国内学术界有几种意见，一种比较传统的，认为就是包括劳动法、社会保障法；另一种认为还包括经济法；还有一种范围就更大一些，认为社会法的本身就是弱势社会群体保护法,这样的话,还有老年人权益保护法等等,甚至包括西方的同性恋社会群体保护法,范围就更大了。我想问江老师对社会法的范围究竟是怎么认识的?经济法和社会法是什么关系?经济法属于不属于社会法?

答:这个问题很有意思,我们国家如何建立法律体系一直是个争论的问题。我们1949年废除了国民党六法,我们到底几法?大家也都有争论。由于改革开放到了一定的阶段,法律越来越多了,有一次全国人大常委法工委和法律出版社共同要出版一套对外权威性的中国法律汇编,在征求专家意见后,确定了在宪法下面的新六法,宪法作为根本大法下面的新六法。第一个就是民商法,平等主体之间的,而且把商法也列入了。商法现在明确列入的是这么几个:公司、票据、海商、保险、证券、期货、破产,最近把信托又加进去了,也叫商法的八个部门。期货现在还没有法,但是国务院有了条例。信托法生效了以后,到底放在哪?最后还是放进了商法。我是觉得信托法里面还有民事信托,还有公益信托,不完全属于商事信托,不太好放,但还是放这里。第二部分是经济法,经济法的定位实际上是国家利用国家的权力对于经济领域的干预行为,宏观调控和一些微观调控,资源呀、外贸呀等等。第三个是社会法,主要是对弱者保护的法律。第四个是行政法,国家对于行政权力的实施和行政权力的制约的一种规定。第五是司法法,司法法严格说应该是法院、检察院,按道理来说公安不应该属于司法,世界各国都不把公安看作是司法,中国把公安也放司法,警察也算作司法了。这是司法的概念,司法主要是审判。第六个就是刑法。我赞成这种分法,我始终认为经济法和社会法是两个分开的东西。这两个都是新兴的,都是二十世纪世界各国法律里面新的部门。经济法和社会法最大的共同点都是国家公权力对于传统的私法领域的干预。传统的私法领域完全是

讲座丛书

意思自治,当事人自己定。而这个是国家意志,是强制性的。你劳动者的劳动时间、劳动报酬都要受国家强制性规范约束。二者当然也不同,用意不同。经济法在西方国家更多的是强调对于垄断的控制,反垄断,就是对于强者的限制。而社会法更多是对于弱者的保护。市场经济下自发规律可能是强者越强,弱者越弱,而市场中的弱势成员有些可能各方面的原因竞争没有能力,可能失业,可能缺乏保护,所以社会法是对于弱者的保护。因此我不赞成把社会法和经济法完全混为一个东西。这两个现在都非常重要,尤其在中国社会法更重要。参加 WTO 以后,我们面临竞争更厉害,也许有更多的人下岗、失业,没有社会保障制度这个社会秩序就会乱,所以必须要有。为什么国家破产法到现在拿不出来?就是因为想新的破产法,通过的时候就把社会保障法通过,这样的话不要造成很大的震荡,要不然,一看破产法就是让更多的人失业。靠破产法来解决职工本身的救济问题是不现实的,就会侵犯债权人利益,牺牲债权人利益,最后债权人一分钱也拿不到,都给了职工,那只能从国有企业这个角度来解一时之急,而不能解决根本问题。所以必须通过社会保障法来解决。

(演讲时间:2002 年 2 月 14 日)

(录音整理:杨抗美)

庞朴

说"无"谈"玄"

　　庞朴，1928年10月出生于江苏淮阴，汉族。1954年中国人民大学哲学系研究班毕业，任教于山东大学。1974年调中国科学院哲学社会科学部《历史研究》杂志从事编辑工作，以后曾任中国社会科学院《中国社会科学》杂志副编审、副总编和《历史研究》主编等职。现为中国社会科学院研究员、联合国教科文组织《人类科学文化发展史》国际编委会中国代表、国际简帛研究中心主任。

平常我们总认为哲学范畴是非常玄妙的，一谈到哲学就觉得玄之又玄，高不可攀，好像谈到彼岸世界的事情一样。今天我想通过两个字的讲解来证明一件事情——哲学范畴实际上是普通的范畴。哲学概念是很普通的概念或者是很普通的两个字。它是从生活当中概括出来、抽象出来、提升起来，最后你看起来很玄，但就其来源来说，是很现实的。如果我们找到它的来源，抓住它的根本，任何哲学范畴都是很容易理解的。抓住这一点，我们可能对哲学的一些范畴理解得就更深刻一点，从而对某个哲学思想了解得就更真切一点。我为了这个想法考虑过一些哲学范畴，今天要讲的是跟道家思想有关的两个范畴，"无"和"玄"。

　　首先谈"无"，"无"就是没有，没有了就没有什么好说的，除非是无中生有，无事生非，你能说出一大堆来。一种无是本来有的，现在没有了。例如，钢笔今天早上丢了，现在找不到钢笔了，这就是无。另外一种情况是本来就没有，压根儿就没有或不曾有过的，现在仍然没有，将来也不可能有，这也是一种无。第三种情况是也许是它真有，而你看不见、摸不着，你没有认识它，没有发现它，人家本来有，你认为没有。所以我认为至少有三种"无"。

　　第一种无叫"有而后无"。这里有三个字，上面两个字为甲骨文中的无字，我们把它变为正楷就是亡字。这是我们现在见到的最早的"无"字，它的意思是你本来有这个东西，后来没有了，或者说应该有这个东西，可能有这个东西，但现在还没有。总而言之，这种无是跟有相对而言的，是从有变化而来的。下面这个字是甲骨文中的有字，大家看如果我们把这个"有"字盖住左半边或右半边，它就是"无"字。你看左半边就是这个"无"字，右半边就是上面那个"无"字。这两种写法都有，都当无字讲。这个无字从哪里来的呢？无是"有"的一半，就是该有还没有或者已经有一半了，但是还没有真正完全有，这就叫"无"。

我们介绍另外一个字。现在广东人喜欢造字，有一个字，把"有"字中间两横去掉广东人念"mou"，这个字为"无"的古音。它的造字的方法是让有不完全有，表示有的丧失，有的不全，这就叫"mou"。大家知道和尚念经时，有六个字"南无阿弥陀佛"，"南无"中的"无"实际上我们念"mou"的音，就是"那么"的"么"，"为什么"的"么"。我们所熟悉的唐诗"画眉深浅入时无"中的"无"就应该念"mou"的音。白居易的唐诗"晚来天欲雪，能饮一杯无？"，天晚了要下雪了，能不能到我这里来喝一杯酒呢？"能饮一杯无"中的那个"无"就念"mou"。"么"就其音来说是古音保留下来的，这个字后来变成"逃亡"的"亡"字。本来是"无"字，到什么时候变成"逃亡"的"亡"字了呢？据我们现在所能掌握的资料分析，是从秦朝开始的。在《睡虎地秦简》中谈到"逃亡问题"时，开始用到"亡"字。"逃亡"的意思是一个后起的意思，在现在能看到的甲骨文中，我们发现最早这个字不做"逃亡"的意思。可是古人不知道，譬如，汉代人写的《说文》中认为这个"亡"就是一个人字外面加一个拐弯，是无的意思。为什么呢？因为"人"就是进去了，"拐弯"这个字念"隐"，"隐藏"的"隐"，"隐瞒"的"隐"。人到了个隐蔽的地方去了，这就是无。这是汉代人的解释，它是望文生义，解释的是不对的，不是原来的意思或者原来的字不是这样演变而来的。我们通过"有"和"无"两个字来看，大概是这样演变的：先有"有"

讲座丛书

字,然后有这两个"无"字。"有"和"无"的这样一种造字法一直延续到现在。例如,广东人现在还保留着用有和没有来说明无的问题。这是我想介绍的第一个无字。

这个"无"字在中国没有上升到哲学范畴。但是在希腊,这个"无"字,是从哲学范畴来考虑的。希腊思想里面有存在和非存在两个概念。他们说非存在就是存在的丧失,没有了存在,存在的缺乏。"非存在"就是"存在"的缺乏,"恶"是"善"的缺乏,"陋"是"美"的缺乏。美的不存在就是丑,善的不存在就是恶。因此,存在和非存在不能单独地说,非存在被当作存在着一个不存在,非存在必须依赖于存在才能说清楚。非存在没有自己的品性,没有自己的独立性,是一种无自性的东西。简单说,无必须和有相对而言,不存在或非存在必须和存在相对而言。因此非存在本身没有自性,没有自己的独立性。希腊的这个绕口的哲学思想,用到了这个无字。在中国我们还没有发现这个第一个无字用到哲学上。第二个无字就不一样了。

现在我们讲第二个无字——無,第二个无字简单地定义一下叫做"虚而不无"。它是虚的,但不是没有,它是实的,但确实看不见,所以叫作"实而不有,虚而不无"。这是佛教对"無"的一个定义。我们在此借用,用来说明第二个无字。这个無是我们现在大家认为是繁体字的无字。这个無与刚才写做逃亡的"亡",念无音的"亡"字意思是不一样的。怎么不一样呢?我们从它的字形变化和字形意思能看出,首先,在甲骨文里我们看到这样一个符号。这是一个什么符号呢?显然是一个"人",一个人手里拿着一些什么东西。什么东西呢?按照古书上记录可能是牛尾巴或者是一些茅草。这个人手里拿着牛尾巴或茅草这些东西在干什么呢? 在跳舞,是正在跳舞的一个形象,把它变成了一个文字符号。这个字有时候写的略微繁一些,手里拿的东西就多一点,看上去就繁一点。下面这个字最繁,这是金文里面無字的写法，刚才上面那个为一般甲骨文里面無字的写法。

这个字实际上描写的是跳舞，跳舞是一种很现实的动作怎么会跟无有关呢?经过研究我们发现了一件很重要的事情，就是古人为什么要跳舞?以前有一种解释说跳舞是一种欢乐，人要劳动，不劳动不得食，劳动了以后就需要休息，休息得高兴就要跳舞。以前对舞蹈就是这样一种解释。通过文化人类学的考察和研究，对世界各国少数民族和边远原始部族的调查发现，原始人和原始部族的舞蹈都特别多。他们的舞蹈的最基本的作用不是为了欢乐，而是为了用舞蹈去和某种神灵打交道。譬如说，我明天要去打猎，今天或好几天以前就要组织舞蹈。要去狩猎熊，就要模仿熊的动作来跳舞，跳熊的动作的舞蹈，然后明天就去打猎。打猎回来之后，还要跳舞，这是对熊的神灵的一种感谢，一种交流，意思说，我是不得已才打你的，打完以后希望大家和平共处。跳舞的目的主要不是为了表达高兴，虽然打到东西是件很高兴的事情，跳舞是为了使得原始人和冥冥之中的那个神灵有一种交往。

如果是种庄稼，就会跳一种模仿从播种到收割的舞蹈，在种庄稼以前或当中会跳这种舞蹈，这种舞蹈也不是主要为了高兴和欢乐，而是为了和五谷的谷神来交流。希望通过我的动作向你表达我的一种敬意，表达我的感谢，表达我们之间建立了很好的关系。这是舞蹈的最早意思。

舞蹈是一种手段，它想做的事情是要跟那个看不见的神灵打交道。对这看不见的神灵要造一个字，怎么造呢? 看得见的东西可以象形，可以画图，人就画个人，狗就画个狗，太阳画个圆圈，月亮画个月牙。看不见的神灵怎么画呢? 不画就不是字，我们的祖先聪明得很，他们就用舞蹈的动作来代替那个看不见的神灵。舞蹈是一个动作，看得见，是可以画出来的。为什

讲座丛书

么要舞蹈，舞蹈是干什么，是为了同看不见的神灵打交道，于是就用这个动作来表示要打交道的那个对象。因此，跳舞的舞字就用来表示那个看不见的神灵，代表无，这个无不是没有，只是看不见。它是虚的，但是不是没有，它是实的，但是看不见摸不着。这就是"虚而不无，实而不有"。这个看不见的神灵，古人相信它绝对存在，只是你看不见。这个思想不光古人有，我们仔细检讨一下自己，每天我们跟许多东西的时候，都会发现很多东西都是"虚而不无，实而不有"的东西。

地球绕着太阳转是一个自然规律。每当地球绕太阳走到一定关系点上时，就会出现一个节气，这个节气就反映了气候的变化。这些东西谁也看不见。为什么会这样呢，地球为什么会有这样一种节气变化呢？我们说地球是 23.5 度倾斜的，这就好像地球有一根轴，围着这根轴做 23.5 度倾斜的自转和公转。那地轴是个什么样？没看见过地球有一根轴呀，但是假设地球有一根轴，就可以解释清楚，如果不假设它有一根轴，昨天冬至就说不清楚。这是一个看不见但是实际存在的东西。其实一切规律都是这样的。

大家知道市场规律叫"看不见的手"。这个"看不见的手"操纵着市场价格的变化。这就是为什么这个东西的价格就便宜了，那个东西的价格就高上去了的原因。今天早上电视上说"有人用 5 美元收购 81 年铸造的 1 分钱硬币"。这都是那只手在操纵。如果我们要把这只手写成一个字的话，怎么办？当然现在我们有许多别的办法，我们可以描述这是一个什么规律，这是一个什么现象，这是一个什么关系。但是古人更有办法，他就用一个符号来代表。他用跳舞的符号来代表跳舞所要打交道的那一个神灵。这是一件很有意思的事情。实际上人每天要同许多看得见东西打交道，更要同许多看不见的，而且更重要的东西打交道。譬如生病，我们现在经常可以说是由细菌造成的,说不清时就说是由比细菌还小的叫病毒造成的。不管是细菌也好,病毒也好,那真是看不见的。如果你的脑袋有一点点什么的话,你就会相信这是一个神灵,这是一个什么东西。这个东西我们相信它存在,它体现在关系当中和规律当中,是我们有些暂时看不见的东西,或将来永远永远也看不见的东西。看见和看不见只是事情存在和不存在的一种认知方式。我用眼睛去看,这是一种认知方式,这是一种用主体去感受那个客体的方式。

认知事物有许许多多的方式,这就有了無这个问题。这个無跟哲学很接近,下面我们将简单介绍,这是一个非常抽象的东西。比如道家的道字,老子说"道可道,非常道"。"道"你可以说成是道理,不管你把它说成是什么东西,反正它是看不见的。它没有形状,为什么它自己不能有形状?它没有颜色,为什么它不能有颜色? 它没有大小,为什么它不可能有大小? 因为按照道家的说法,"道"是可以化生为万物的。灯是道的化身,手表也是道的化身,如果道本身有形状的话,假设道是方的,那圆的东西是怎么出来的?假设道是白的,那黑的东西是怎么出来的? 所以道本身不可能有颜色;正因为它不可能有颜色,所以它化身为一切有颜色的东西。同样它也不可能有形状,因为如果它是圆的,那方的东西就不可解释。如果它是硬的那软的东西是谁变的? 所以说到最后,作为世界的本源,世界的本体,道是既无形状,又无颜色,又无大小,又无气味,什么都没有的一样东西。这就是无,但是它绝对不是没有,相反它大于无,它比有还要有。它是最大的有。因为一切的万有,一切的万物都是它化身出来的,都是以它为本体。这样一个东西拿到宗教上,就叫做神;拿到哲学上,就叫做本体;拿到字上面,我们就可以写成無来代表它。

在 20 年以前,我在酝酿这个"无"字时,北京大学历史系

讲 座 丛 书

一九七八级同学冷鹏飞告诉我：湖南民间窑师常于点火前以鸡血淋地作"無"字，以祈火旺。我觉得太有意思啦。这是一种很古老的思想，但是一直流传下来。要深深地与神灵打交道，打交道通过什么？跳舞是一种办法，窑师用鸡血写一个無字也是一种办法。所以这个无字在中国确实是跟具有神灵的东西有关系。每一个人都应该跟神灵打交道，每一个人在开始都会同神灵打交道。后来随着事情的越来越繁，随着社会发展的越来越复杂，这个跟神灵打交道的事情就慢慢地专业化，专业化到一种特殊的人群身上。这个专门负责和神灵打交道的专业户就叫做"巫"。"巫"字最早出现在甲骨文中，在中国最早的文字中，我们发现有这样几种形状。现在我们认为"巫"是神汉，是怪里怪气的人，但是以前他们是社会上备受尊敬最有知识的人。"巫"是知识分子的前身，那个时候科学、知识、宗教和迷信是搅在一起的。"巫"专门从事同神灵打交道的事情。慢慢地他们从具体的劳动中解脱出来，干这个专业。那么这种人造一个什么字来表示他呢？我们的祖先很有本事，就把跳舞的"舞"字稍微地神化了一下，玄妙化了一下，幻想化了一下，就变成了巫字。我们看，这个字像个十字架夹着一个东西，这个字实际上就是把跳舞的舞规范化了一下。这个规范化的好处是使得舞玄妙化、奥妙化了一点。它不像跳舞那么形象，而是慢慢地抽象化了，特别表现巫这个职业，表现这种人。这种通神通鬼的神汉、巫婆他们本身就有一点点非常玄妙的样子，所以造出字来就用这样的形状来表示，而这个形状我们看得出来它实际上就是最早的这个巫的一个变形。中国最早的辞典《说文》上说："巫、祝也。女能事無形以舞降神者也。象人两袖舞形，与工同意。"什么叫巫呢？她是一种女人，这种女人能够侍奉那些无形的东西，无形就代表神灵。用什么来侍奉神灵呢？"以舞降神者也"，用跳舞来使神从天上降下来。这样一种女人,她能够用跳舞的办法把神灵降下来,通过这种降下来的办法去侍奉这个无形。《说文》给巫下的这个定义是非常准确的。它说这个字形呢,是个象形字,像一个人用两个长袖作舞,长袖善舞嘛。

我现在可以告诉大家常用字中"医生"的"医"字,现在我们写成简化字,只剩上半边了。本来医的繁体字下边还有一个"酉"字,那个"酉"字在古书中往往写成"巫婆"的"巫"字,不是"酉"字。这说明本来医巫是同源的。医生跟巫婆所要干的事情是类似的,以后慢慢逐渐分工,逐渐分化,使得一个变成科学,一个变成迷信。在刚刚开始的时候,大家是分不清楚的。为什么呢?因为都是跟无形打交道。医生也是同无形打交道。例如,你感冒了,怎么感冒的?现在我们可以说感冒是病毒性的、流行性、细菌性的,以前病毒、细菌都找不到,反正是有一个什么东西在你里面作怪,因此你感冒了。所以医生的医字就把巫婆的巫字放在下面。

还有算术的算字,算计人的算字。算字是竹字头,竹字头下面为目,再下面为一竖两横。在古书中,算字往往写成竹字头,下面为巫,再下面放一横两竖。就是目前写目的地方以前是一个巫字。现在这对我们来说是非常不可思议的。但是对于古人来说,这是一件非常自然的事情。他认为,算这件事情实际上是一种知识,是一种法术,是一种跟無打交道的活动。是一种巫婆所要做的事情。为什么三七就二十一呀?"三七二十一"你怎么一下子就算出来了呢?我数数要数半天呢。于是他就认为这里面有一些什么东西,有一种神灵。这件事情不是一般人都能掌握的。当然现在大家都能掌握了。特别是里面有一些非常理性的东西,古人就觉得这是巫。类似的字还有一些。这就说明,巫是一种和看不见的东西打交道的人。巫用跳舞这个动作来同看不见的神灵打交道。

讲座丛书

于是我们就有了三件东西：一个是你要打交道的对象，那个神灵；一个是你打交道的主体，这个打交道的人巫婆；再一个是你用来打交道的动作，用来沟通主体和客体之间的动作，用来沟通看得见的人和看不见的神之间关系的这个动作。这就有三个字"無、巫、舞"。这三个字实际上只有三个声，即平声、去声和上声，或者叫一声、二声和三声。实际上是一个字一个读音只是音调不一样。通过三个不同的音调代表了要打交道的客体，和进行打交道的主体，以及用来打交道的这个动作，这就是無。

这个无不是没有而是大有，比一切有还要有。这一点表现在目前的许多字里面，现在的许多地方都存在着。《说文》中收了三个字，第一个字是大字下面一个跳舞的人手中拿着牛尾巴或茅草。《说文》说，这个字从大，人型也就是大，因此从大这个字就代表丰富。实际上这个字就是無，就是我们现在说的那个下面四点的繁体的無字。这些东西最后就变成四点，实际上我们现在说的無字在《说文》里面没有无的意思。注《说文》的后来人搞不清楚这个無和有的关系，这个字在《说文》中叫做有，"丰也"，非常丰富，同无的意思正好相反。《说文》是用里面有个"亡"字的字来表示没有的。说这个字为"亡也"，就是没有，这个亡本身就念无。所以用"亡"表示没有，用"無"表示非常有，然后用"舞"表示跳舞，强调下面有两只脚，上面还是那一套，《说文》中一共收了这三个字。

这里面有一个很重要的线索是在《说文》的时候即汉代的时候，仍然认为，所谓無是很有很有，非常丰富。其实这个非常丰富的無，在我们现在的某些字里面还存在着。譬如说，草字头下面放一个無的"芜"字。通常说的"一片荒芜"不是说荒的没有了，荒的非常荒。"荒芜"是说有很多很多的荒草。因此草字头下面放一个無字，恰恰表示的不是没有草，而是表示有很多的草。这个"荒芜"的"芜"就是很有的無。再比如月字旁放个無，这个字不是说没有肉，光是骨头，而是说有一块非常肥的肉。当然这个字在我们现在的生活当中已经不大使用了。生活当中用到的另外一个字为广字中间有一个無字，"庑"是指大房子。在日常生活当中，有时候还用这个字来形容非常大非常长的房子。比如说，你到国子监去，国子监里面有大殿，两边就叫两庑。所以作为大的意思的無字，保留了把無当作神灵的意思。这个無字不是没有，而是相当相当的有。于是有一个很有意思的现象：三个字"無、舞、巫"其实是一个字，而现在表示没有的無字，又恰恰是大有的意思。

　　我碰到过一件非常有意思的事情，有一次，我看到一张铜器的拓片上有三个無字，这三个無字与我们今天讨论無字有关。無字在拓片中出现了三次，一次是"大巫"，一次是"宴舞"，最后一次出现在"寿無疆"中。一片铜器铭文里面有三个無字，这三个無字又恰好是三个意思。"大巫"就是巫婆的巫。第二个舞是为了什么事情举行一次宴舞，宴会和舞蹈。到铭文的最后，说明做这个铜器是为了祝贺你万寿無疆。这个铭文证明了我刚才说的事情不是空口瞎说。这三条意思也包含着一个非常深刻的世界本源的说法，以及人如何同世界本源打交道的说法。

　　第三个无字就是我们现在简体字的"无"，跟天字元字有一些相像，在中国思想里面表示绝对没有，不可能有，压根就没有，现在没有，将来也没有，不是说没看见，也不是说没出现，而是永远不可能出现。古人喜欢用"龟毛兔角"来形容这件事情，这就是绝对没有的事情，如"龟毛兔角"。这个无字在我们中国汉文字历史上出现得最晚，我想是在战国末期一本叫《墨经》的书中出现的。《墨经》就是墨家的经典，《墨经》里面出现了这个第三个无字。这个无字当时的定义叫做什么呢？《墨

讲座丛书

经》中的定义为"无不必待有"，即无不必等待那个有。也就是说这个无不是相对于有而言的那个无字。这个无不用相对于有，是没有，不可能有，跟有不相对。我们刚才讲的第一个"亡"字是跟有相对的。第三个无字是"不必待有之无，无之而无"，它的定义就是"不必待有"。

下面举个例子，好比我说"无马"，这是有而后无，是待有之无，这个无是与有相对而言的。"无天陷"，我说天不会塌下来，没有天塌这件事情。这个"无天陷"是无之而无，这个无字是永远不会有，压根就不会有。这是一件很难办的事情，我们要想象一个字、一个状态，这种状态跟有无关，是种绝对的没有。《墨经》中的"无不必待有"，这个定义是一个纯哲学的定义。它想象的这个无是绝对无。而一切绝对的东西是不可掌握的东西。

为什么造出这么一个字用来表示这个绝对的无呢？在《说文》中有一个解释说，这个无跟元字类似，只是把元字向上延伸了一下，于是定义为"通于元者"。"元"在中国是开始的意思，例如一年的第一天就是元旦。开头的开头就是不开头即为无。《说文》觉得这个解释还不够，又另外用天字来解释，引用了王育的"天屈西北为无"。"天屈西北"指天的西北角，这是古代天文学的观念。因为太阳月亮运行的时候，特别是太阳最明显，早上从东北或东南、正东出来，然后走到西北好像掉下去了一样。古人就想象那个地方有一个大洞，天体运行到那里就会掉下去，第二天出现的是另外一个新太阳。同时地域恰恰是西北很高，在中国大部分水都是向东南方向流淌的。因为西北地高，地高正好把天补充好了。当然"天屈西北"在这里不是用的天文学概念，而是用的字形，天字如果把西北角这一笔缺一下，弯曲一下，正好是无字。无字的这个竖弯钩就是天字的西北角圈起来了一下。所以叫"天屈西北为无，通于元者为无"。

这个弯钩处确实是西北,古人看地图是坐北朝南看的,它是下北上南左东右西。这个解释是很巧妙的,很机灵的。但是为什么无字是这个形状呢?写《说文》的人认为这是一个奇字,很奇怪的字。他把这个字收在"逃亡"的"亡"部中,说这是一个很奇怪的字。他也说不清楚,因此他就用了两个解释叫"通于元"和"天屈西北"。"通于元"是《说文》自己的解释,而"天屈西北"是他借用了王育先生的解释。这个无是绝对没有。

我认为,这个绝对没有的思想最早出现在《墨经》中。后来到了汉代的时候才开始大量地使用。20年前,在长沙马王堆出土的很多帛书里面的无字,大体上都写成了这个简体的无字。它用的这个无的意思不完全是我们刚才所讲得绝对无的意思。因为从各个方面来说,这个无字比较简单,而且是后来新出现的字比较时髦,所以后来的书中都大量地使用这个无字。这个无字确实出现得很晚,因为在最近几年,湖北荆门郭店发现的一批《战国楚墓竹简》(大概公元前300年的时候的竹简)中这个无字还没有出现。这第三个无字,通于元的无字,直到战国末年才出现,而且一旦出现了以后就非常时髦。汉代人大部分的书中都把无字写成这样。在现在的元典里面有一个很奇怪的现象,五经中惟独是《易经》里面的无字都写成这个无,其他的经中往往写成逃亡的亡字那个无,还有一些地方有些时候,写成繁体12笔的無字。《易经》中写这个跟天、跟元一样的无字是很奇怪、很有趣的现象。可能是大家认为这个第三个无字带有非常大的神奇性。《易经》这本书是用来算命、打卦的。因此这是本很神奇的书,这里面的无字使用得也全都是这第三个无字。实际上按照思想发展的现象来看,第二个繁体字的無才是最神奇的无字,因为这个無是同神灵打交道的无字。而第三个无字只是在形象上,可能跟天字有关系,跟元字有关系,其实与这两个字都没有关系。我不知道为什么会有这

讲座丛书

个无字，至少在思想上这个无字同天字、元字无关。它不是开始以前的开始，它是绝对的没有，它是绝对的不开始。它不是"天屈西北"，天也不缺西北。这就是这样三个无字。

讲完了这三个无字，我们很自然会想到一个问题：如果我们研究某一个哲学家，譬如，研究老子，老子经常说无，说"天下万物生于有，有生于无"，"无名天地之始"，这时候你就要想一想现在这里有三个无字，他到底说的是哪个无字？这三个无字的意思是很不一样的。第一个是相对于有的无；第二个繁写的無我可以说是相对的绝对，它是承认相对，承认相对后面的無；第三个是绝对的无。因此我们如果研究一个哲学家的思想，你应该搞清楚他说的是哪个无。你说你拿书来查一查，这是没有用的。书都是后来人抄过来，写过去的东西。谁知道他本来是个什么无呢。你就需要根据他全部的思想体系去分析他的这个无是什么，是三个无中间的哪个无。

大概在五六十年代，我们哲学界为魏晋玄学问题的崇无派跟崇有派是三个无中间的哪个无，做了很大的争论。当时争论后，才发现根本都没有搞清楚那个无到底是哪个无。我们说，佛教是四大皆空，空就是无，空是印度传过来的无字，那它这个无到底是什么无？后来发现在佛教中有两派，一派说它这个无就是绝对的无，即第三个无。另外一派说无不可能是绝对的无。色就是空，空就是色。你看上去是空的，实际上它会体现为各种现象。因此这是第二种无。道家讲无，佛教讲无，宋明理学讲本无，讲太极以前有一个无极。凡是碰到无的时候，你都要想一想，确定一下是哪一个无。

关于无，就说这么些。下面我们谈"玄"。

《说文》里面小篆的"玄"是这样写的，上面好像有一个盖子，下面是一个幺，幺的意思就是最小的意思。《说文》上这样解释，幺就是小。小用一个东西盖着，因此就看不见，就是奥妙,就是微妙。《说文》里还有一句话叫"黑而有赤争者为玄,象幽而入覆之也。",即黑里透红就是玄。我们知道玄是黑颜色,按照《说文》中的说法黑里面还要有红,黑里面隐隐透着红色这个叫玄。另外有一本字典叫《广雅》,它说"玄为天也,道也",是天,是道,天叫做玄,道叫做玄。它承认《说文》中的说法,补充了两个意思叫做"天、道"。现在我们查《辞海》,《辞海》中吸收了上面的意思,玄妙、奥妙、微妙都有,另外还加了一句"精神性的宇宙本体叫做玄"。因此玄有三层意思,一层很具体就是黑色,第二层稍微深了一些叫做"微妙、奥妙",第三层就更玄了,叫做"天、道、宇宙本体",就是越来越玄。

为什么黑色叫做玄?为什么玄代表奥妙?为什么玄又是宇宙本体呢?宇宙本体是不是黑色的?一大堆的问题,古人说不清楚,因为古人没有看到玄的最早字形,如果我们看到了玄的最早字形,反而能够把这件事情说清楚。甲骨文中的玄字是这样写的。秦汉以后的人看不见甲骨文,我们二十世纪的人看见了甲骨文,我们看到甲骨文以后,发现玄不是像《说文》中说的那样,幺上面有一个盖,它是一个可以转的,像一个钻木取火的钻头一样的东西。所以郭沫若先生就提出一个解释。他说玄就是旋转的旋,人一旋转,头就发晕,一头晕,眼就发黑,所以玄就代表黑色。郭老是很聪明机灵的,他把玄的几个意思都穿起来了。但是这个解释也有一些问题,特别是眩晕眼就发黑,发黑就代表黑色这句话是不好解释的。就是这样它与宇宙本体也没有联系上。为什么是精神性的宇宙本体呢?为什么玄是代表天也、道也呢?难道眼发黑就是天、道吗?所以郭老的意见作为一种很机敏的意见,虽然比《说文解字》解释得清楚一些,但是还是没有说清楚。在四川湖北交界的长江边上有一个县叫做京山县,京山县的一个地方叫屈家岭。1955 年,在屈家岭修建水库的时候,地下挖出了很多文物。在这批出土文物中出

讲 座 丛 书

土了大量的纺轮——纺线用的小轮。轮并不是现在纺线摇的轮，而是一个小小的、圆圆的瓦片，中间有一个眼，眼中间穿一根棍可以捻线。纺轮上面画着非常漂亮的图案，现在主要收集了18种图案，这些图案都很不一样。是用红颜色的矿物粉末画在陶制的纺轮上面，这些图案很显然都是属于水的花纹，是水的波纹的图案化。红色的水的图案说明了什么呢？水的图案变成红色是很奇怪的。如果火的图案是红色是很好理解的。水没有红色的水，水如果表示成红色的化，它是为了表达一种神圣的、超越的意思。它不是表示水本身，而是表示水有这样一种神圣的意义。我们知道周口店北京猿人的洞穴中，就有红色的铁粉末撒在地上。红色一直是代表神圣，用红色的水的花纹画在一个纺轮上面，而且纺轮之多远远超过了实用所需。因为我们知道，纺轮如果实际用来捻线的话，每一家或每一个人大概有一到两个就足够了。工具以自己使用的顺手为合适，越是这种小工具，自己有一个比有很多个要好，别人的工具使用起来是不顺手的。所以真正使用中的纺轮不可能超过人口数量很多。屈家岭出土这样大量的，画着红颜色水的波纹的纺轮，给我们提供了一个想象的空间。

由此我就想到了玄的问题。因为大家想想看，如果这纺轮转起来的话，会给人一种水的旋涡的感觉。如果把水的旋涡描绘出来的话，就应该是上面旋转起来，然后越来越下去。这是一种非常有意思的感觉。假如我们设想有一个民族，他们崇拜水。那么他们怎么表现水呢？画成一条河，画成一方湖，还是画成一碗水？因为水本身是没有形状的，水可以根据它所在容器的形状而变化。放在方的杯子里面，它是方的，放在圆的杯子里面，它是圆的，放在河里，它是一条，放在湖里，它是一片，放在海里，它是汪洋。水本身没有形状，他们抓住了一个东西，一个最能表现水的神妙形状的东西——旋涡。别的东西没有旋涡，当然风有旋涡，风有旋涡看不见，水是旋下去的。如果大家在河边住过的话，会发现如果河里边有旋涡，河里的草就旋下去没有了。这是一件非常神奇的事情。然后又旋转旋转冒出一个什么东西来，那就更神奇了。假设有一种思想认为，万物都生于水、归于水的话，它用旋涡来代表水，那是最好不过的了。万物从这里下去，然后再慢慢转上来，而且这个东西你从正面看下去，里面是发黑的。非常玄妙，非常奥妙，一种黑颜色的旋涡。万物最后都被它吸进去了，有一些东西又会从里面生出来。古人本来就认为水是万物的根本。孙悟空借宝，他想到龙宫去借宝。他为什么不到玉皇大帝那里去借宝呢？因为水里面是奇妙无穷，深不可测的。所以很多哲学是把水当作世界的本源。我们读《圣经》中第一篇《创世纪》的第一句话就是说，"上帝的灵运行在水的面上。上帝说要有光，于是有了光，这是第一日。""上帝的灵运行在水的面上。"是什么意思呢？水不是上帝创造的，水跟上帝同在，上帝没有资格创造水。那说明水是最原始、最早产生的。最近在湖北省荆门县发现的《郭店竹简》里面有一篇叫做《太一生水》的文章，也把水放在具体物的最前面。所以我认为纺轮上的花纹以及甲骨文上的文字，它们所表现的是水的花纹，所反映的思想是认为水能够产生万物。水是世界的本源，是宇宙的精神本体，它是黑颜色的，它是玄妙的深渊。这样我们就把古人赋予玄的许多意思，可以用水的旋涡来解释清楚。这种思想在中国属于道家思想。中国道家是崇拜水的。大家去白云观参观的时候，会发现白云观里面有一个"三一殿"，"天一，地一，水一"，把水和天地放在一起供奉。老子的《道德经》上说"上善若水"，最好的道德品质就像水一样。"水善利万物而不争，柔弱胜刚强"，"渊兮，似万物之宗"，水是万物的祖宗。道家认为，水是万物的本源。这个思想体现在《太极图》中，显然可以看出《太极图》上的花纹与刚才

讲 座 丛 书

纺轮上的花纹是类似的。这些思想在中国传统文化中有着非常深沉的根基,它们影响着我们每一个人。只不过我们不去研究,没有发现,不能感觉到这些东西。实际上,它是中国文化里面很重要的一个方面。这个思想向外传播到日本和韩国,他们有的时候把这个图案画在一个大鼓上面,特别韩国,他们画成三种颜色,红、黄、蓝。日本人把图案做在和服上面,成为一个家族的族徽。在日本,许多神社里面的建筑装饰大体上也都有这样的图案。在中国民间除了《太极图》以外好多地方也会有这样的图形用来记录我们远古的时候对水的一种尊敬。因此我们可以这样说,很奥妙的玄字其实是很简单的水的旋涡。抓住了水的旋涡这一点,我们就可以解释成许多图象,也可以解释关于玄的几层思想。所谓玄,如果要表现精神本体,要表现天道,要表现奥妙、深远、黑色等等都归结到一个水的形象上。尚水的思想、尊重水的思想是一个哲学思想,这个思想在中国是相当古老的,但是传到现在我们就忘了。

现在请大家看这个纹样。它在日本有一个名字叫"巴",为什么叫"巴"呢?《山海经》上有记录说巴是一种大蛇,它能吃掉一头象,吃完后不吐骨头,三个月后才把骨头吐出来,在那里会出现巴岭、巴丘。日本人说,巴是喜欢自己咬自己尾巴的带形动物。我看所谓巴,实际上就是美的旋涡,所谓自己咬自己尾巴者,就是这个旋涡的意思。旋涡就是我们现在要来理解的玄之又玄,本来不玄的玄字。谢谢大家,下面解答一些问题。

※我想问一下古代皇帝去世之后,入葬的地宫,比如十三陵,十三陵皇帝的地宫被称为玄宫,这个玄字与您刚才讲的玄字有什么相同之处呢?

现在中国有一个具体的东西叫做玄,北方叫做玄。地宫的玄除取奥妙深远的意思外,可能更多的包含北的意思。因为古人认为死了以后是跑到北边去了。东方是升,南方是胜,西方是沉,到了北方就是死亡。

※"冥冥之中"这个词是什么意思?

"冥冥之中"的"冥"就是没有,就是看不见的深远地方。古人想象神、怪都出现在那个地方。因为你平常看不见,看不见而又认为有,那么只好在那个地方。我想这个词的文学意义很浓,哲学的意义不多。

※您是怎样理解老子《道德经》中无字的含义,这个无字对中国现代文化有什么影响?

我理解老子《道德经》上的无都是第二个无字,就是繁体字的無字。他说"天下万物生于有,有生于无",老子话的意思是说,有是从无来的,有不是从绝对没有的地方生出来的,而是从宇宙本源生出来的。宇宙本源是无形、无色、无嗅、无状的东西。但是它是大有,是万有。虽然它看不见,但是它比看不见的东西还要大。在六、七十年代,非要给老子扣一个帽子是"唯物"还是"唯心",根据这个意思以前不断发生争论。不过现在我们已经不是这样看了。

※道教中的无与道是什么关系,是不是一回事,如果是为什么要用两个字表达?

无和道实际上是一个东西,老子说得非常清楚。他说,如果我说那个无的话,大家没法掌握,我强为之名,勉强给他一个名字叫做道。为什么勉强给个道字就容易理解呢?因为当初道就是道路的意思。道路是好理解的,是具体的,看得见的,大家每天都在用的,都在走的。而宇宙本体这个东西本来没法给名字,没法称呼的,所以勉强给一个名字就叫做道。

※老子说"道生一,一生二,二生三,三生万物"是什么意思?

这个思想我认为是至今为止,从全世界范围来说,关于宇宙本源、宇宙创成论的最完整的思想。关键在于我们对这个生

讲座丛书

的了解，生至少有两种生法，一种生叫做派生，一种生叫做化生。也就是说，一种生叫做鸡生蛋，另外一种生叫做蛋生鸡。"鸡生蛋"是派生，母鸡下一个蛋，母鸡是母鸡，蛋是蛋。派生出一个东西来，生了蛋后母鸡还在。另外一种生是化生，是蛋生鸡，蛋变成了鸡，鸡出来了以后蛋就没有了。都是蛋。蛋变化了自己生出一个鸡。"道生一，一生二，二生三，三生万物"其中所有的生都是化生。道是一个无形的，绝对的宇宙本源。它化生自己为一，它就变为一个有。而这个有分化自己为二，叫做一生二。二又结合自己生三，三就是万物。

※我想请问您，玄字是不是能对魏晋玄学，在地理上有新的或更深入地理解？

我们过去一直说，儒家发生发展在北方黄河流域一带，南方是道家的天地。我想玄字刚才纺轮的那套东西的发现确实证明了这个思想。道家思想起源于南方，起源于多水的地方，只有在多水的地方，你才会尊重水。当然缺水的地方，你会祈求水。但是祈求水跟尊重水是两码事。那么我想从纺轮的发现可以看出，这样的学派或这些民族、这些人们应该是长江流域的那一带起源的。从这往后，南方可能一直有尚玄的思想，所以后来玄学到了魏晋、到了南北朝，南朝人尚玄，而北朝人实在。这是非常古老的中国南方学风和北方学风的问题。比如，你看《诗经》和《楚辞》时就会感觉到，《楚辞》是非常空灵的，非常飘渺的。《诗经》是非常敦实的，非常庄重的。南北学风是不一样的，那么思想作风也不一样。它所追求的，所描述的精神世界里面所向往的东西大概也不一样。

※出土的大量纺轮上涂的是红色的水的花纹，玄是黑发红色，为什么不涂成黑色的呢？

在他涂红色的时候，玄这个字还没有出现，玄作为黑色的意思也还没有出现。他涂红色是纯粹宗教意义上的那种崇敬、恐惧，一种好像看见血的感情。在很早很早以前是这样的。到了后来假设按照我的猜测，出现玄这个字的时候，到了玄这个字就是我说跟旋涡有关系了的时候，才产生了黑色的思想。真正看到一个旋涡而不是一种对宗教的崇拜，你才会有黑色的感觉。而且黑色也有利于说明那种虚无飘渺、深奥莫测的思想。

（演讲时间：2001 年 12 月 22 日）

（录音整理：须英）

讲 座 丛 书

张立文

《周易》与中国文化

　　张立文,现任中国人民大学哲学系教授,博士生导师,中国文化与经济发展研究所所长。兼任国际儒学联合会理事、中国孔子基金会理事及学术委员会委员等。专著:《周易思想研究》、《周易与儒道墨》、《周易帛书注译》、《和合学概论》、《中国哲学范畴发展史(天道篇、人道篇)》等20多部。

《〈周易〉与中国文化》这个题目很大，我只能拣一些重要的问题来讲一讲，不可能对所有的问题都能涉及到。

一、《周易》的时代、作者以及符号

上古有三易，《周礼·春官·宗伯》记载："太卜……掌三易之法"，一个叫《连山》，一个叫《归藏》，一个叫《周易》。按照记载，它们的经卦都是八，别卦就是六十四，三易是一样的。但是三易产生的时代和作者是不一样的，一般认为，夏代是《连山》，殷代是《归藏》，周代就是《周易》。其作者，按照比较通行的说法，是神农做《连山》，相传神农尝百草，以疗疾病，立市厘以通货财，为神农易。黄帝做《归藏》，为黄帝易。伏羲做《周易》。这种分法也只是一种传说，并不是一种定论。就是在古代记载中也有出入，比如说《连山》，一说伏羲所作，一说神农易。《史记·日者列传》上说伏羲作八卦，周文王演三百八十四爻等。按照《北堂书抄·艺文部》所引汉代桓谭的《新论》记载，《连山》与《归藏》在汉代的时候大概都还在，《连山》藏于兰台。兰台也就是国家图书馆，当时就是宫廷图书馆。《归藏》则藏于太卜那里。20世纪80年代，在湖北荆州王家台的楚墓中出土了《归藏》，原来以为它与《连山》一起失掉了。汉以后的人都见不到它了，我们却有幸见到了。尚林先生告诉我，他是尚秉和先生的后代。尚秉和先生的《周易尚氏学》中，把古书上有一些关于《归藏》的卦名收进去了。

这三部《易》，它们的不同在什么地方呢？据古人记载，主要是首卦有异。《周易》的首卦是乾卦(☰)，卦辞是讲刚健的龙的变化，三画阳爻，也可以是六画阳爻(䷀)；《归藏》的首卦是坤卦(☷)，三画阴爻，也可以是六画阴爻(䷁)；《连山》的首卦是艮卦(☶)，也可以是六画(䷳)。首卦不一样，说明卦的性质、特征、内涵有差别。由此来看，这三部《易》对后来的影响是：《周易》开启了儒家的思想，《归藏》开启了道家的思想，《连山》实际上是开启了墨家的思想。从这个意义上讲，《周易》是中国文化的一个源头。它除了对于先秦的儒、道、墨以外，对阴阳家、名家、法家、兵家都有影响作用。

讲座丛书

为什么讲它同这几家思想有联系？比如说乾卦，它是纯阳、纯刚，这同儒家的入世思想、贵阳崇刚、自强不息的思想是有联系的；《归藏》是道家的贵阴崇柔思想的源头，属于黄老系统，也就是与黄帝、老子这个系统相联系；《连山》就是两个山，艮卦象征山，《连山》是山连山，"两山相并，故曰兼山"。它与墨子的"兼相爱、交相利"的思想有联系。墨家非常崇拜夏禹治水那种艰苦奋斗的精神，所以墨家为了天下之利，不辞劳苦。有这么一句话："非禹者之道，不足为墨。"这就是三易和中国文化思想的关系。

进一步说，《周易》有两个最基本的符号，一个是阳爻(—)，一个是阴爻(－－)。如果没有这两个最基本的要素，就构不成《周易》的卦，卦画构不成，在古代就不能进行算卦。从这两个爻可以看出，中国人把所有的不同性质的东西，概括成阴和阳这两个相对待的状态、性质和特征。我在《中国哲学逻辑结构论》中，把阴阳这对范畴作为虚性范畴，就像数学中的代数一样，可以把所有的东西都往里代。比如说天地、男女、上下、君臣、夫妇、父子，都可以往阴和阳这里头代，中医当中的内外、虚实、表里等也都可以往里代。这就说明，中国在当时的抽象思维已经非常发达了。从这个意义上讲，中国的哲学思想，也就是抽象理论思维，应该说从《周易》的时候就已经开始了。所以我在《周易与儒道墨》中讲到，《周易》实际上就是百科全书，涵了所有的知识。就当时来说，它所有的问题都涉及到了。

那么，这两个阴爻和阳爻，到底是什么？从古以来，都有不同的说法。有人说是数字，有人说是蓍草，有人说它代表了阴阳。最初的时候，人们是怎样认识的？可以从《周易·系辞传》上得到这样一种启迪，比如说，"乾，阳物也；坤，阴物也"。特别是在《系辞传》中有一段话，对这两爻做了非常明确的诠释。它说："夫乾，其静也专，其动也直，是以大生焉。夫坤，其静也翕，其动也辟，是以广生焉。"这段话，实际上是当时人对生殖崇拜文津演讲录**3**阴（––）阳（—）的一种体认。阴，象征母系社会，坤道成女，是母系社会对于生殖崇拜的一种符号性的概括。阳，是当时父系社会对祖宗崇拜的一种符号性的概括。现在从地下墓葬里发掘出男性生殖崇拜的东西，如且，且即祖字，它代表了父系社会中男性生殖的祖宗崇拜的孑遗。从这个意义上讲，––与—这两个符号，就象征阴和阳，是生殖崇拜的一种孑遗。这种诠解，是否完全符合《周易》––与—符号的本意，姑且勿论，但却是先秦时的一种诠释，也可以说是最早的一种诠释。长期以来，我们讲阴阳，阴阳这个次序很重要，把阴放在前，阳放在后，那为什么？这就代表了中国阴性文化的一个特征。男尊女卑，阳尊阴卑，实际上是后来儒家思想的一种诠释，中国古代并不是儒家的这种诠释。中国文化是一种阴性文化、柔性文化，是讲柔的，所以讲和。这就是说，在中国的先秦时期就开始了中国"轴心期"的百家争鸣的多方文化现象，其间各家思想都有所本，那就是《周易》，《周易》对他们的思想影响很大。

二、《周易》与中国文化的关系

中国文化博大精深,源远流长。这个"源",即源头活水,就与《周易》密切联系。下面分这样几方面来讲:

(一)《周易》与中国文明的起源

我们知道中国是一个文明古国,文明的起源很早。过去说是五千年,其实可以追溯到七千年,甚至还更早一点。我们衡量文明起源,有一个非常重要的条件,就是文字的出现。文字的出现,同中国原始时期的占卜,也就是巫术文化,是密切相关的。我们现在可以看到,最早的时候,也就是说在新石器时期,大概是公元前的一万年到公元前四千年之间,淞泽文化当中出现了数字卦,这个数字卦是这样两个卦: ≡ 又 ═ ═ ∧ ≡、∧ ═ ≡ × ≡ ─。前面的卦,第一个字是三横代表三,第二个字是五,第三个字是三,第四个字也是三,第五个字是六,第六个字四横是四字。如果按照奇偶数把它变一下,就成为一个遁卦(≣)。这个卦是初六、六二、九三、九四、九五、上九,这就构成了内是艮卦,外是乾卦。遁卦的卦辞是讲"亨,小利贞"。第二个卦是六、二、三、五、三、一,刚好构成了下面是乾卦,为内卦;上面,是外,是个震卦。这就构成个大壮卦(≣),它的卦辞叫"利贞"。这两个卦构成了互卦,从表里(内外)来看,即"非覆即变"的覆。这些数字卦,过去我们都不认得,它们到底代表什么,都搞不太清楚,现在可以把它转译成卦爻,就构成了这样一个卦。后来在钟鼎上、甲骨上都发现了这种数字卦,就是六个数字一组。六个数字一组是别卦,三个数字一组为经卦。我在《周易帛书注译》(中州古籍出版社出版,台湾出版的叫《周易帛书今注今译》)的《前言》中,以较多的篇幅说明了这个问题。由此可以看出,这些数字卦,就构成了最初的文字。它的文字特点、

讲 座 丛 书

方式以及书写的方法,基本上都定型。这同阿拉伯文字、西方的拼音文字等,书写上就不一样。这样一种书写方法,同中国最初的时候用契刻是有关系的。现在看到的甲骨文,实际上它是一些占卜的结果,是占卜记录下来的东西,就是说最初的文字是同占卜分不开的。

我们知道,文字是人与人交往的工具,它代表了人的抽象思维的发展。文字符号的出现,为人与人的交流创造了条件,它是人类第一次中介系统革命的标志。我可以不看到你这个人,也可以不亲自听到你到底讲什么,但只要看到你的文字,我就可以知道你的思想,你所说的意思我们都可以知道,所以说它是一个中介系统。我们可以这样说,以往世界的文明,都是由于文字所创造的。语言文字的出现,才给事物以意义,创造了人的思维空间、符号空间,是现实关系的表述和创造,但语言文字符号还只局限于指称意义的对象关系之中。现代科技的发展,比如说计算机数字化原理是二进制,二进制最初的发明人是莱布尼茨,他以阴爻(– –)代表 0,阳爻(—)代表 1,并从邵雍《伏羲六十四卦方位图》(包括圆图和方图)中得到印证,他非常惊奇中国古代就有二进制。从这个意义上讲,《周易》不仅同中国的最初的文字相关联,而且它给现代科学技术也带来了启示。如果说由于计算机的数字化方式的出现,给人们带来了文字上的、中介系统上的另一次非常重要的革命,即虚拟化的革命,那么这种虚拟就把现实当中的不可能变成了可能。人与人之间的关系也发生了变化,过去我们看京剧人见人,现在我们看影视,可以根本见不到真人,看到的是影视上的人,是他的影子,这是个虚拟的人。二进制数字化方式为人类创造了一个虚拟的空间、视听空间、数字空间,引起了思维空间、符号空间中的革命,使得我们整个思维方式、生活方式以及工作方式都发生了很大变化,《周易》为人类文明发展将起到愈来愈大的作用。

(二)《周易》与中国哲学

中国到底有没有哲学?后现代主义哲学家德里达,去年9月份到中国来,仍然是讨论这个问题。他说中国没有哲学,只有思想。这个问题,一直是一个争论的问题。从西方黑格尔到现代哲学家,以至中国30年代的张东荪,都认为中国没有哲学。到了20世纪90年代,也还有一些人提出来中国没有哲学的问题。哲学是什么?我们一些人讲哲学讲了差不多50年,但是一讲到哲学是什么,还是见仁见智,但是我们可以讲它是智慧之学。有人这样讲:德国是哲学的故乡,还有人说,中国也是哲学的故乡。这不是我说的,是外国人说的。西方哲学是关于外在客体世界的智慧,中国哲学是关于内在主体世界的智慧,它们都是对思维的智慧的反思。哲学的一个很重要的问题,就是世界万物从哪来?这是需要首先回答的。西方人有西方人的回答,中国人有中国人的回答。西方有个上帝,他创造了草、水、空气、大地、树木以及动物等。上帝按照自己的样子用泥土捏了一个亚当,他吹了一口气,所以亚当就活了。他觉得亚当太孤独了,就把亚当的一条肋骨抽出造了一个夏娃,两个人在伊甸园中生活。这就是说人类的起源是上帝创造的。中国人的回答就不一样了。中国人的回答是"和实生物",怎样和实生物?在《周易·系辞传》当中有一个诠释,叫作"天地氤氲,万物化醇,男女构精,万物化生"。我们可以看出来天地是互相变化的,天是阳,地是阴;男是阳,女是阴。天地男女也就是乾坤,是对待的两端,也就是现代语言讲的冲突、矛盾。氤氲是互相作用,构精是个融合、交流、交感的过程。对待的东西,只有融合才能化生万物。构精、氤氲是不断选择的过程,然后才能生出一个新生儿。这个新生儿就是一个第三者,即和合体。这个思想就是《周易》中讲的"近取诸身,远取诸物"。"近取诸身",就

讲座丛书

是从人类自身最切近的夫妇构精，然后生出八个、十个新生儿。并由己及人、由己及物，由人类自己的生育而推及天地万物的产生，即"远取诸物"的天地氤氲，而生万物。中西方对于人类的起源问题，思维方式是不一样的。

由此我们可以看出这样几点区别：一是西方人认为上帝造万物，上帝是一个惟一的、绝对的、全知全能的。中国人认为万物不是由绝对的、惟一的、全知全能的上帝创造的，而是由天地男女，由多样的、多元的甚至是对立的、冲突的东西经过融合，然后产生的万物。正因为这样，中国主张多样的、多元的，它不排斥其他东西。二是惟一的上帝具有排斥其他的东西的排他性、独一性。由此出发而讲斗争，讲非此即彼，讲你死我活的斗争，一方消灭一方，消灭多元为一元。中国哲学从根底上具有包容性、宽容性、多元性和多样性，是多样性的冲突融合而和合，因此讲"万物并育而不相害，道并行而不相悖"。万物、道并育并行，互不相害、相悖，这就是阴阳互补、双赢的思维，而不是一方消灭一方，一方打倒一方的冷战思维。这是西方的思维方式与中国思维方式不一样的地方。三是中国有自己的一套概念形式。孔子讲"天何言哉？四时行矣，百物生矣，天何言哉"，天即使能讲话也不讲话，天不去干预创造万物，即没有一个绝对的天来造万物，万物是由不同事物融合而和合而成的，所以讲和实生物。正因为和实生物，所以"同则不继"。《周易》的革卦，讲了这样一句话"水火相息，二女同居，其志不相得"。中国古代人认为两个女的在一起，就不能生孩子，人类就不能延续下去。天作为一个东西不可能生万物，地作为一个东西也不可能生万物，只有天地氤氲，才能化生万物。这就是中国追根究底的回答。这个回答不是像西方人讲的中国没有哲学概念，它提出了很多概念。比如说天地、阴阳、男女、氤氲、构精、万物和化生等。其基本的概念就是冲突、融合，然后和合体、新生儿、新生事物的产生，这就是生生不息的思维。

中国后来的哲学思想发展，其基本的理论思维框架，很多都是采取《周易》的，如两汉易学、魏晋玄学，特别是宋明理学。宋明理学家大都是以《周易》的思维为框架，比如说周敦颐的《太极图说》从无极而太极，他提出了一套概念，基本上就是从《周易》的框架来的，所以周敦颐的《通书》，又叫作《易通》。我在1996年的时候，出了一本80万字左右的书，叫作《和合学概论》，这是我自己提出来的作为新的中国哲学理论思维形态的一种架构。在这本上下两卷的书中，便采取了一些《周易》的思维。比如说《周易》中讲的"保合太和"，和合学就是"保合太和"思维的提升。去年（2001）出版了一本《和合与东亚意识》，最近又出了一本《中国和合文化导论》，都是讲"和合"的。我这些书出来以后，一些人有误解，以为我是讲折中、讲调和、讲中庸？其实就是对中国"和"这个词不了解。"和"不是仅讲调和，不是光讲折中，不是和事老，"和"包含了冲突、融合，然后有个和合体的产生，这是"和"的意思。所以，我的和合学出来以后遭到了批判，大概就是对中国"和"这个词不了解的结果。在斗争哲学讲惯了以后，就产生一种思维惯性，一听"和"就不感冒，其实"和"是个好事。

（三）《周易》与中国宗教信仰

《周易》一个很重要的观念就是讲"和"，正因为讲"和"，而具有包容性、多元性、多样性，所以中国的宗教没有像西方一样，发生过宗教战争。在中国，各宗教都可以互相包容。《周易》对道教与佛教，特别是中国的民间宗教很有影响。比如说民间宗教的"和合二仙"，过去民间贴年画就有和合二仙。苏州的寒山寺，有一首张继作的很有名的诗："月落乌啼霜满天，江枫渔火对愁眠。姑苏城外寒山寺，夜半钟声到客船。"这个寒山寺里

讲座丛书

就刻有和合二仙的像,和合二仙即寒山与拾得这两个诗僧。据说这两个和尚交情非常好,清雍正十一年(1733)封他们为和合二圣。过去民间结婚的时候,都以和合为喜神,象征和谐好合,百年偕老。一个非常天真的小孩抱着一个盒子,盒子里飞出五只蝙蝠,寓意五福;有的盒内是金钱,飞出一串蝙蝠,寓意财富无穷。拾得是合仙,后来到了日本;寒山是和仙,留在中国。有人诠释寒山是讲和的,中国人讲和,但是合作的合不够,所以中国人往往起内讧,造成内耗;拾得讲合,日本人有团队精神,但讲和不够,所以过去老是侵略别人。我们应该把拾得与寒山融合起来,成为和合二仙,既讲和,又讲合,那就好了。

中国文化的这种包容性,体现在一些寺庙当中,就是供奉儒、释、道三家。在一个寺庙中,有道教的太上老君、佛教的释迦牟尼,也有儒家的孔子或者民间信仰的关公。同时,作为儒家六经之首的《周易》,也成为道教很重要的一个思想来源和根据,如魏伯阳撰《周易参同契》,把"大易"、"黄老"、炉火三家之理契合为一,所以叫《参同契》。该书是道教系统论述炼丹的著作,为"丹经之祖"。炼内丹、外丹的丹术、丹道,同《周易参同契》有非常密切的关系,后来道士对《周易参同契》做注解、集注、发挥等。五代的时候有个道士叫彭晓,不仅作《周易参同契分章通真义》,而且作《鼎器歌》,就是讲炼丹的鼎器。还有道教关于《周易》的著作,比如说《易数钩隐图》、《易外别传》、《易筮通变》等等。魏伯阳的《周易参同契》,不仅对于道教的炼丹术,而且对中国的化学、自然科学的发展也有贡献。

《周易》对佛教也有很大影响。比如说后来的一个和尚藕益做《周易禅解》,就是用禅宗的思想来诠释《周易》。有人把艮比作文殊菩萨,把震比作普贤菩萨,把兑比成观音菩萨。所以《周易》的思想对佛教也有影响。

《周易》对中国宗教文化影响最大的一点,就是"保合太和"的思想，使各宗教之间能够和平共处，既相互冲突、相互争论，也互相融合、互相吸收。中国文化在吸收佛教文化方面，做出非常好的榜样。一种外来的文化、一种异质的文化传到中国以后，怎样在中国生根、发展，就面临着与中国本土传统文化如何相融合问题。印度佛教文化同中国传统思想有很大不同，譬如说佛教和尚出家是不结婚的，不结婚就不能生孩子，不能传宗接代，这同中国的传统伦理思想是完全不一致的，因为中国儒家讲"不孝有三，无后为大"。佛教这种异质文化怎样和中国文化相融合，这就是佛教的中国化问题。所以我们现在也提出马克思主义中国化问题。这就是说，任何外来文化来到中国，中国都有很大的包容性，并不是排斥，而是接受，接受以后把它消化掉，并使其中国化，这也就是中国化的禅宗。过去都是称印度的佛典为经，中国僧人做的是论、疏，当然印度人也做论，但是中国人做的不能称经。唯一的一本书就是禅宗六祖慧能作的《坛经》，是中国和尚做的经典，这就是中国化的佛教。从这里可以看出来，《周易》对中国宗教影响最大的是保和太和。各个宗教平等相处，互相交流，不要战争，也不要排斥。外国就很不同，你不信我的教，你就是异教徒，异教徒就得消灭。西方中世纪，审判异教徒用绞刑或烧死，是很厉害的。但是，中国一个家庭里，祖母祖父可以信佛教，外国留学回来的儿子、儿媳妇可以信天主教，一个家庭当中，可以三教并存，这在外国是做不到的。在外国，不管是哪个教，媳妇嫁到婆家，一定要皈依，皈依基督教还是皈依伊斯兰教，不允许一个家里信仰两个教，但中国家庭可以。这就是《周易》有容乃大、海纳百川这样的思想、气魄、气度对宗教的影响。

(四)《周易》与中国思维

1. 象数思维

思维是主体人脑借助于语言对各种信息的分析、综合、比

讲座丛书

较、抽象和系统化、具体化的过程。由于各地区、各民族的语言结构、心理结构、生活方式的差异,其思维方式亦迥异。今就《周易》讲中国思维的特征。

《周易·系辞》说"易者,象也,象也者,像也"。易是讲象的。象是对宇宙万物变化的规律性、必然性的掌握,它也是宇宙万物在变化过程当中所表露、显现出来的一种表征。所以,一般都采取"取象比类"、"观象制器"方法,来体悟人生之道。"象"一般指卦象、爻象、阴阳之象等。阴阳之象如阳为天、圆、君、父、玉、金;阴为地、母、子母牛、布、黑等。八卦表征为天、地、水、火、风、雷、山、泽。天是乾,地是坤,水是坎,火是离,风是巽,雷是震,山是艮,泽是兑。《周易·说卦传》中八卦取"象"102 种。到了汉代的象数学,每个卦的象征就很多了,甚至几百。怎样取象,它是怎样进行象数思维的?我可以举几个例子。首先来看泰卦(☷),泰卦卦象是乾下坤上。乾是天,也是君、上、男、父等等;上是坤,坤是地,是臣子,是儿子,是妇。泰卦正好是坤卦在上,乾卦在下,这就说明为天、为君、为父,能够接近臣下,能够设身处地接近百姓,在这种情况下,下者才能乐意亲于上。因为他能够到老百姓当中去,知道老百姓的疾苦、痛苦,天天在老百姓中间,这样就没有架子,也没有官僚作风,当然老百姓就接近他,亲近他。"泰卦"讲天地阴阳,交流通泰。能够交流,就能够通泰,能够平等交流,所以君民相敬相亲,上下和睦、融洽。在这样情况下,当然能够下情上达,这是很好的。我发现,在《周易》64 卦中,凡是阴在上的卦都是好卦,而乾在上的卦有些不太好。我们来看"否卦"(☰),否卦是倒过来,乾在上坤在下。乾,天,君是高高在上,表现出一种官僚作风,官架子非常大。就是我们现在讲的"门难进,官难见,脸难看"等等。在这种情况下,下情不能上达,上下不能交流,天地不交而万物不通,上下不交而天下无宁。这种情况当然是不好的，"不利君子贞"，所以是"否卦"。我们从这里可以看出来，卦的排列不是很随意的，是有一定的道理的，它象征一定的意蕴。《周易》言简意赅，有很大的解释空间与无限的比附性，这是象数思维的一种特点。

再比如说颐卦（☲），下面是震卦，上面是艮卦。你看颐卦中间都是阴爻，上下是阳爻，就是初九和上九，保护着中间的阴爻，这就是说阳爻起着保护阴爻的作用，有保养的意思。遇到这样一个"卦"，就有口齿之象。我们知道病从口入，祸从口出，我们就应该注意。"颐卦"的《象传》说"君子以慎言语"，讲话要谨慎；"节饮食"，你吃饭、吃东西，要有节制。时刻注意这两点，还有两个阳来保护你，所以说问题不太大，不会发生大的灾祸。同时要注意修身养性，加强道德修养，就是我们现在讲的加强道德教育、素质教育。

讲座丛书

又譬如比卦（☵），坤下坎上，坤是地，坎是水。水在地上流，水贴近地面，应该是雨水充足，然而搞不好，可能发生水灾。但总的来说，是可以"建万国，亲诸侯"的。这里有一个很重要的"九五爻"。古代讲"九五之尊"，是皇帝的位子，九五为阳爻，居上卦之中为得中，又阳爻居阳位，为当位，既当位又得中。下面都是阴，就是说，下顺从，天下太平。君主治理方法得当，得到大家的服从。在这种情况下，君民各得其所，君民同乐。

下面讲鼎卦（☲）。鼎卦巽下离上，下面是阴爻初六，上面是九二、九三、九四，然后是六五、上九。这象征什么东西呢？下面阴爻是两只脚，上面三个阳爻是个肚子，是鼎的肚子。九五是鼎口，上六是鼎盖，这就是个鼎，就像饭锅一样，有脚，有肚子有口，有盖。这个鼎木上有火，说明有饭吃，为什么呢？下面是"巽卦"，上面是个"离卦"，巽是风也是木，离是火，也就是说锅在煮饭，在烹饪，所以说有饭吃。从这里可以看出来，象数思维是讲一个卦的象,以象来比喻一种事情。现在来看,这是经验的、直观的,具有一种牵强附会的成分,缺乏逻辑性。

"数"是对天地变化的一种定量的把握,有天地之数、大衍之数、卦爻数。天地之数是指天一地二,天三地四,天五地六……一直说到十,天地之数是五十五。大衍之数是五十,其用四十有九。卦爻数,如初九、九二、九三、九四、九五、上九就是一、二、三、四、五、六,由下往上。从下而上,说明是上升的趋势。现在通行本《周易》的卦序和马王堆帛书《周易》的卦序,是不太一样的。

2. 太极思维

太极思维是讲易有太极,易生两仪,两仪生四象,四象生八卦,这就是太极的次序。这种分法,被后来邵雍诠释为"一分为二",所以,"一分为二"这个思想中国古来就有。比如说"一尺之椎,日取其半,万世不竭",就是说可以不断地"一分为二"。从零到二到四到八,是一种超越直观的抽象思维,是一种符号的思维,是在于追究宇宙万物之所以然之故的思维。什么叫"所以然之故"? 到宋代融儒释道三教思想而和合为宋代理学,形成了太极思维系统,《伊洛渊源录》记载,邵伯温(就是邵雍的儿子)在《易学辨惑》中讲:有一天,程颐到他家与他父亲邵雍谈论天地万物,程颐指着面前的桌子说,这个桌子放在地上, 不知天地放在何处? 他们就是在讨论这些宇宙万物最后的、所以然之故的问题。这就是一个哲学问题,就是现象背后的那个隐蔽的存在是什么的问题,在哪里的问题。我们可以看出来, 中国思想家对于这些问题的追究,其实是非常深刻的,是关于形而上学问题的追究。再比如说陆九渊,他还很小的时候就问他的父亲,"天地何所穷际",父亲笑而不答,他便"深思至忘寝食"。像这些问题的回答,你怎么回答,这就是追究所以然之故的那个存在, 就是现象背后的那个不显现的隐蔽的存在,也就是说不在场的东西是什么的问题。这个追究便是太极思维,到了周敦颐作《太极图》,他从无极到太极,太极动静,而生阴阳,由阴阳而五行,由五行而男女,由男女而化生万物。往上追,由万物到男女,男女到五行,五行到阴阳,阴阳到太极,太极到无极,便是这样的次序:太极动静阴阳变合五行妙凝男女交感万物,而构成"立太极"和"立人极"的终极系列。我们不要把太极图看简单了,太极图中的S曲线像中国古代的龙的图形,是龙的抽象的表征;太极图的圆,象征中国天道无限循环的圆,这个圆是由阴阳鱼互动为其变化的源动力。如果把中、西、印的思维方式做一比较,就可发现:西方的思维是非此即彼,不是阴就是阳,是二元对立,结果是一方克服一方,一方消灭一方,一方吃掉一方,如图1;中国的思想是太极图的阴阳鱼,阴中有阳,阳中有阴,阴阳鱼互动,互相交合,相辅相承,如图2;而印度的思想是空,是没有,如图3。这就是中、西、印思维的比较。

讲座丛书

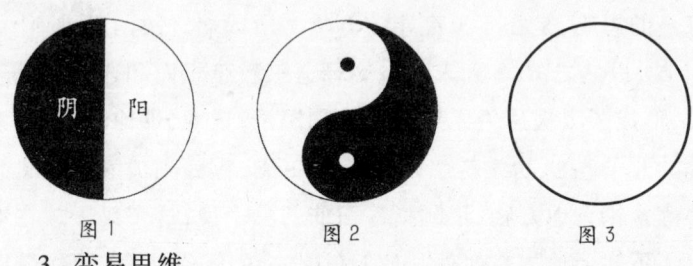

图1　　　　　　　图2　　　　　　　图3

3. 变易思维

对变易,《周易》中讲得很多,《周易》就是讲变易。所以司马迁说:"《易》长于变。"阴爻变阳爻,阳爻变阴爻,六十四卦当中,都是互相变化的。九、六两个数为老阳、老阴,都是属于变爻。如果是九的话,是阳爻变阴爻;如果是六的话,阴爻变阳爻。《周易·系辞》说:"变动不居,周流六虚,上下无常,刚柔相易,不可为典要,唯变所适。"这里包含着这样几个思想:一是讲刚柔互相变易,盈虚消长;二是讲物极必反,穷则变通;三是讲日新之谓盛德;四是讲"革命"的合法性;五是讲变易的适宜性。当然也有不变,但是它藏于变。所以《周易》是讲变动不居,讲大化流行的。

《周易》思维的特点是:一是比附性;二是直觉性,是未经逻辑思维而直面对象;三是整体性,天地人和谐协调。

4.《周易》与中国伦理道德

《周易》提出伦理道德思想,特别是《易传》中讲仁义、刚健、中正,又比如讲柔顺宽厚、谦虚、忍让、节俭等。"节卦(☵)"节、亨,就是节俭。"节卦"讲得非常好,一方面不能厌恶节俭,厌恶节俭,就不能守正道;另一方面"节"应该是节以制度,通过制度来保证节俭的实现。那么它的要求是什么呢? 应该是"不害民","不伤财"。《周易》重视仁的道德规范,仁要爱,仁包括知耻,知羞耻,不耻不仁,小人不知耻,小人不仁,像这样一些思想都是非常好的。比如家人卦讲君君、臣臣、父父、子子、夫夫、妇妇、兄兄、弟弟,那就是说君要像君的样子,父要像父的样子,夫要像夫的样子,妇要像妇的样子。虽是讲过去的,其实对我们现在也是很重要的。

从现在来讲,君不像君,即当官的不像当官的,做臣子的即做公务员的不像个公务员,做父亲的不像个做父亲的,做儿子的不像做儿子的,当丈夫的不像当丈夫的,当妻子的不像当妻子的,不像样子。这就是说,当什么就像什么,这很不容易。现在当官的贪污、盗窃、走后门,当公务员的也见钱就捞,当然就不像个样子了。我们不要求你必须全心全意为人民服务,但是你应该像个样子,按照你那个当官的规则、规范去做,按当公务员的要求去当公务员,当父亲的要有当父亲的规则,当老婆的应有当老婆的规则。如果这样的话,那么整个社会的道德就提高了,社会就有秩序了。其实中国古人非常聪明,他们把社会错综复杂的关系,概括为五大关系,即君臣、父子、夫妇、兄弟、朋友五伦，五种关系，规定五种道德规范来处理。现在社会上人与人之间关系很复杂，能否把它概括为几种基本关系，并相应规定处理这种基本关系的道德规范，由大家来遵守。1949年后的一段时间内，我们搞不清楚有几种关系，50、60年代都是同志，父亲、老婆、孩子都是同志，你说怎么处理？"文革"中都是师傅，领导是师傅，老婆是师傅，儿子也是师傅，全都是师傅，怎么处理？这就没有分别，没有分别就不能制定不同的伦理道德、规范，由大家来遵守。《周易》中则把有些基本关系都规定好了，这是很不简单的。

三、《周易》与中国文化的人文精神

讲座丛书

（一）自强不息，厚德载物的精神

"天行健，君子以自强不息"是《乾卦》的大象；"地势坤，君子以厚德载物"是《坤卦》的大象。江泽民主席在哈佛大学演讲时说，中华民族的精神之一就是自强不息的精神，就是不断奋斗的拼搏精神，加入WTO后更要拼搏，才能化危机为机遇。中华民族是勤劳勇敢的民族，所以创造了世界文明，而成为文明古国之一。应该发扬自强不息的精神，但是不要光讲奋斗，光奋斗就可能产生"亢龙有悔"（乾卦上九），所以还应有"厚德载物"来调节、补充。厚德载物是讲博大的情怀，海纳百川的超凡气度。换言之，人要效法大地海洋的雍容大度，虚怀若谷，会通万物，以成其功。这样才能接受大家的意见，才能把事情做好。《周易·乾卦》九三爻辞讲："君子终日乾乾，夕惕若厉，无咎。"君子终日勤勉不懈，晚上又惭惧不安，反省自身。这就是说，不断提高自身的道德修养，才能从"潜龙勿用"到"或跃在渊"。这样人生才能通达"与天地合其德，与日月合其明"的境界。这就是说，既要拼搏进取，又要柔顺恬静；既要轰轰烈烈，又要冷冷静静。二者融突和合,才能完善地体现中华民族的精神特色。

(二)"天地之大德曰生,生生之为易"的生生精神

宇宙之间最根本、最伟大的德性,就是讲生,所以生生之为易。"易"的核心思想就是生生,是指新生事物、新生命不断的创生。另一方面也是对于生命的重视,对人生意义和价值的尊重。时代大化流行,变动不居,新生事物不断出现,我们如何与时俱进,与生生变化相适应,这是时代的要求。如果我们没有生生不息的思想,就不可能持续发展。生生不息就是持续发展,我们现在研讨的很多问题,比如环境污染、破坏等等,都与持续发展的思想不符合,也都不是生生不息的思想。生生是中国文化精神,正因为如此,所以中华民族文化五千年绵延不断。

(三)"穷则变,变则通,通则久"的变通精神

《周易》讲穷则思变,当然是对的。要变化,要改革,因为我们太穷了。太穷了就要改革,不改革不行,我们国家就不能生存下去。穷要变,变就通,通达才能长久。所以"通"很重要。近代改良主义的激进派谭嗣同,他在戊戌变法时在北京被杀头的,他写了《仁学》一书。在《仁学界说》中说:"通有四义,中外通,上下通,男女内外通,人我通。""通"很重要,《周易·泰卦象传》就讲"天地交而万物通也",《否卦》就讲"天地不交而万物不通"。《咸·象》讲:"天地感而万物化生",感指交感、感通。过去我们闭关自守,中外不通,上下之间、人与人之间也不通,搞了很多隔阂,很多障碍。假如人为的障碍不破除,就不能交流,不能相通。不能平等的交流,这就不行,政治、经济、文化、科技就不能发展。从现在来说,为什么有恐怖活动?怎样根除恐怖活动?我们追究一下,有很多是由于不通造成了一些隔阂,不通造成了一些冲突。当然这里有贫富的不通,有发达不

发达的不通，有各个民族之间、宗教之间的不通，而造成冲突的加剧。中国的各宗教之间能交通、交流，所以能互相包容。现在很多宗教和宗教之间发生冲突，冲突就是不通的关系，不能融合的关系。

(四)"日新之为盛德"的日新精神

德者，得也。内得于己，外得于人。中国是讲日新日日新，每天都是新的，这样才能盛德，才能最大地获得。内得于己，也就是说你自己要提高你自己的道德修养，提高自己的道德水平，提高自己的文化素质、道德素质、精神素质、艺术素质等等，这样你才能有最大的得到。外得于人，你只有惠泽别人，给予别人，别人才能给予你。

讲座丛书

孔子讲"己所不欲，勿施于人"，你自己不想得到的东西，也不要给别人；你不要战争，也不要把战争强加给别人；你要幸福，也希望别人得到幸福；你不要恐怖活动，也不要把恐怖活动强加给别人。只有这样才能外得于人，这就是说应该和而不同，应该按和而不同的原则来处理问题。日新就是不断地创新。人生在于奋进，生命就在于创新。人的生命价值是在日日新中实现的，只有真正做到日日新，才能使天地万物无限富有而成就其千秋大业，以促使天地万物日新月异、永恒变通而呈现其超凡的盛大德行。

(五)"天道变化，各正性命，保合太和，乃利贞"的和合精神

"天道变化"，就是说天道是不断变化的，在变化中使万物各得其性命，即使每一个事物都能够按照它本身的性质来发展。每个国家都有每个国家的自身性质和特点，每个国家都想按照自己的发展道路走它的路，这就是各得其性命，各得其所。各个国家只有按照它自己的发展道路走，这样才能保合太和。

130

保合太和,不只是乃利贞,而且是万国咸宁。我们可以这样讲,保合太和的核心,就是阴阳和合。保合太和是一个最高的理想,也是一个最高的价值。所以故宫把太和殿放在中间,是最大的一个殿,这也不是偶然的。中国讲太和,从性质上说,古人把它解释为阴阳会合冲和之气,保持阴阳和合状态;从价值理想上看,太和就是最大的和。如果说21世纪成为太和的世纪,一个和合的世纪,那么整个世界就会安宁,大家就不会战战兢兢,心神不宁。9·11事件发生之后,北京有很多人就给美国纽约打电话,我也打电话,问儿子怎样。为什么?都怕亲人出事,心里很着急。9·11事件、巴以冲突,都给我们一个深刻的启示:以怨报怨,以暴易暴,是不能根绝恐怖活动的,是不能制止自杀性恐怖活动的,只有保合太和、融突而和合,才能"万国咸宁",否则世界就不会安宁。

　　去年是联合国科教文组织规定的文明对话年,为了寻求东亚文明对话的理念,日本将来世代研究所认为,我提出的和合学的和生、和处、和立、和达、和爱五大原理可以作为东亚文明对话的基本理念,于是在中国人民大学召开了"东亚和合思想与21世纪"的国际研讨会,这是呼唤"保合太和,万国咸宁"的一种体现。

(演讲时间:2002年1月27日)

(录音整理:苏晓君)

魏明伦

戏曲文学漫谈

　　魏明伦(1941年-)，四川内江人。童年失学，九岁唱戏。1950年参加四川省自贡市川剧团，先后任演员、导演、编剧。四十余年未换单位。最近调到四川省川剧艺术研究院担任顾问。

　　中共十一届三中会全后脱颖而出，以"一戏一招"的创新精神先后写作《易胆大》、《四姑娘》、《潘金莲》、《夕照祁山》、《中国公主图兰朵》、《变脸》与《巴山秀才》(合作)、《岁岁重阳》(合作)等一批在国内外有影响的戏曲文学剧本。

　　曾任1993年"中央电视台春节文艺晚会"总撰稿；又担任电影《变脸》的编剧，该影片获1995年度电影华表奖、最佳合拍片奖等。

　　八十年代末期写杂文，九十年代中期兼写骈体碑铭。以其内涵与形式双重特殊引起文坛和社会反响。代表作有《金牛赋》、《饭店铭》、《深山骏马碑》、《华夏陵园赋》等。有专著《苦吟成戏》、《巴山鬼话》、《魏明伦短文》、《魏明伦剧作精品集》在大陆和台湾问世。

　　任第七届、第八届和第九届全国政协委员，中国戏剧家协会副主席，四川省作家协会副主席，一级编剧。是国家特贡专家，文化部优秀专家，四川省优秀专家，1983年四川省劳动模范，1996年全国五一劳动奖章获得者。

中国国家图书馆是文化典籍的殿堂，也是文学艺术的殿堂。国家图书馆选中我，让我来谈心得，到这里与北京读者见面，我还有些紧张。因为我不但没有讲座的经验，连听讲座的经验都没有。我没有经过正规学校的教育，我的学历很浅，没跨进过中学的门，只念了三年小学，所以没有听讲座的经验，就像我的个头一样，我是中国作家当中学历最低的一个人，也是个头最矮的。另外，我的口才不行，我平时说四川方言，说普通话不标准，语汇也不丰富，说的时候心里很紧张。我的笔头还勉强可以，我的口才与我的文才相比差距比较大，如果同样一个事情，用文笔来表述比我用口头表述要准确得多、生动得多。口头一说就笨，我事先声明，希望读者原谅。

我今天的话题是《戏曲文学漫谈》，只是一家之言，是我经过独立思考的一些体会，我谈的这些问题，在中国戏曲史和中国文学史中都没有人这样谈，或者说不是从这个角度谈。

一 "编剧主将制"与"角儿制"

"角儿"（juér）就是演员，北京人更清楚，四川不叫"角儿"，四川叫"角色"（操四川口音）。"角儿制"是大家都公认并共同使用的词，就是以演员为中心，"演员至上"的一种体制。我所说的"编剧主将制"是我自己编的词，是我杜撰的。据我考察，戏曲在中国历史上确实存在着一段很长的"编剧主将制"。从元代到清代中叶，曾经实行过"编剧主将制"，之后到晚清断裂了,被"角儿制"所取代。为什么这样说呢?因为作为中国文学经典之一的戏曲,它的辉煌时期就是元人杂剧,元人杂剧超越了元代其他姊妹艺术,成为领导时代的新潮流,超越了当时的诗、词、文、画而上升到文化的峰巅。我们通常把中国古典的、最经典的唐诗、宋词、元曲和明清小说,看成是引以为自豪的四大类。四类当中元曲又包括两类,一个是元人杂剧,一个是散曲。相对而言,元人杂剧成就高于散曲,数量也多于散曲,影响也超过散曲。元曲以元人杂剧为主要代表,她们与唐诗、宋词、明清小说,并列为中国文学宝库里的精品。她成功的主要原因,就是涌现出了以关汉卿、王实甫、马致远、白朴为代表的一大群剧作家,写出了以《窦娥冤》、《西厢记》为代表的一批杰作。元代钟嗣成写的《录鬼簿》,记录了当时所有剧作家的简历、生平和主要成绩。有些人称我是"鬼才",我也调侃自己算是《录鬼簿》里面的后继人物。正因为有这一大群"鬼",才形成了以剧作家指导梨园戏班的"编剧主将制",这种体制在此以前没有,她的特点是以知识分子带动艺人,文化高的人带动文化低的人,剧本带动演出。这种现象为什么会在元代形成高峰,形成"编剧主将制"?而在唐宋时期却没有呢?这个问题,我的答案与戏曲史的论述不尽相同,有所补充。我认为:蒙古人入主中原以后, 他们把当时社会上的人分为四等,所谓北人、南人、色目人和汉人,把儒家读书人和知识分子打入底层,所谓八丐、九儒、十娼,知识分子被列入"下九流"这种状况在历史上是从来没有过的。这就使从先秦、两汉,到宋代知识分子中所形成的'学而优则仕",走开科取仕的路彻底断了,儒家、知识分子从优越的士大夫阶层,沦为社会最底层。也就是说从先秦诸子到唐宋,大文化人不可能写戏。比如"唐宋八大家"他们以文章、典论、诗词见长,是文学的正宗,他们一定要走仕途之路。李白、杜甫无一例外,他们是不会来写戏的。可是到了元

讲座丛书

代，由于人为的原因，大文化人或者具备大文化基础的人被逼向民间。如果关汉卿、王实甫生在汉代、唐代或者宋代，肯定就会走李白、杜甫、韩愈、苏东坡、陆游等人的诗文道路。反过来说，如果李白、杜甫、韩愈、苏东坡生在元代肯定会变成剧作家关汉卿。在元朝的历史条件下，大文化人也只能够沦落到民间。这样一批文化精英被逼向梨园，走进民间，与下层社会相结合，这在前朝是没有的。当时的梨园叫"勾栏"，演戏的和陪笑的没有明显的区别，元代时"勾栏瓦舍"，后来就成了青楼妓院窑子的代名词，唐宋时期也有艺人，艺人之中也有人写戏，但没有大文化人和文化精英参与。由于阶级压迫、民族压迫、社会压迫，硬把这批人逼到梨园来了。于是就形成了大文化人与艺人合为一体，即把文化精英灌输进梨园，文化精英又从民间的营养中丰富了自己，取得了前所未有的成就。这样的结合形成了一种很奇特的文化，即出现了元曲的高峰。所以说这个时代是戏剧的高峰，而不是散文的高峰，不是诗歌的高峰，道理就在这里。我们说这个体制下出现了一大批剧作家，而体现剧作家成就的就是剧本，就是戏曲文学。从而产生了以《窦娥冤》、《西厢记》为代表的一大批大家最熟知的我国文学宝库里的经典作品。

一部中国戏剧史翻开来看，晚清以前没有"角儿制"。慈禧太后之前，中国戏剧史上能够作为代表人物的一定是剧作家。关汉卿、王实甫到《牡丹亭》的汤显祖，《长生殿》的洪昇，《桃花扇》的孔尚任，都是剧作家在领导潮流。那时中国戏剧界的代表人物都不是"角儿"，而是剧作家和剧作家们创作的辉煌的剧本，这是客观事实。宏观看来，这是戏曲历史上的优良传统。"编剧主将制"的传统由汤显祖、洪昇、孔尚任、李渔和四川的李调元等延续，一直到清代中叶，都是以编剧为代表，他们带动了戏曲文学向前发展。关于"编剧主将制"，在文学史上没有这个说法，现在我这样命名，是符合历史事实的。确是剧作家起到杠杆作用，他们既是剧作家，又兼任导演，行使导演职能，这一点不但是中国戏剧的优良传统，也是外国戏剧的优良传统。从历史上看，外国也是这样，凡是舞台剧，即话剧，西洋戏剧谁是代表人物呢？是莎士比亚、易卜生、莫里哀，一直到奥尼尔，都不是"角儿"。西洋戏剧里留下的辉煌遗产，也是剧本和剧作家。莎士比亚、易卜生、包括布莱希特的戏，都是剧作家在起杠杆作用。这个传统在外国戏剧里没有断裂，她的优良传统一直贯穿下来，贯穿到荣获诺贝尔奖的许多剧作家。而在中国戏剧里它断裂了。为什么会断裂呢？因为它发展到了晚期，所谓"物极必反"，就是事物达到巅峰的时候就要走向它的反面。用今天的眼光看当年的戏剧文学的发达原因，应该是剧

讲 座 丛 书

本发达促成的，使它繁荣延续了几百年，本来应该是"编剧主将制"和表演艺术相结合形成比翼齐飞、双轨前进的模式，但当时的表演艺术却跟不上趟，形不成系统。所以能在史籍上留下来的，当时的演员只有个朱帘秀有点小名，关汉卿的散曲里面提到她，这还是因为她沾了关汉卿的光。除她而外中国戏曲史中基本没有关于演员的记载，或者说没有被保存下来。到最后，戏剧文学剧本单独向前发展，没有带动表演艺术，更没有能力带动演出，从此使它走向反面。随着时代的发展，到了明清以后，李渔、李调元的时代就不同了，这些写戏的人又恢复了士大夫的阶级地位和士大夫阶层的生活，他们的剧本再也不是与艺人结合起来，反映民众疾苦与世间波澜，他们开始"玩儿"了，玩什么，就是玩戏，成玩派了，养一帮人玩戏班子。这些人恢复了自己的阶级地位以后，从反映民间心声、反映世态波澜、反映民众疾苦，到慢慢转向追求形式、寻章摘句，最后把剧本变成为纯粹的案头文学，其内容大多苍白无力。与元代相比，内容已变得十分浅薄，从而使忧患文化变成升平文化。

从历史上看，不论是中国还是外国，凡是经得起历史检验的、推动历史前进的文化都是忧患文化，而不是升平文化。升平文化的内容是单纯的歌功颂德、十分浅薄。戏剧也是有规律性的，从关汉卿到《桃花扇》很好，《桃花扇》以后慢慢就不行了。到了清代中叶，李渔是比较有代表性的，他研究戏剧形式是非常到位的，《笠翁曲话》大多是教你怎样写戏的技巧，而他写戏的内容却不怎么样。也许我这后辈班门弄斧，依我看他写戏的理论大于实践，内容浅薄，不能与关汉卿、汤显祖相比。

中国的戏曲文学走到清代中叶以后，就慢慢走向它的反面，形式典雅到了看戏要查典，更何况它的表演艺术不发达，没有形成体系，所以是时代在呼唤表演艺术，因此就产生了所谓的雅部与花部之争。雅部就是昆剧，在以前地方剧种比较少，主要是昆剧处在统治地位，是正统剧。可它的生命力非常脆弱，苍白无力，已经走到穷途末路。花部生正逢时，"四大徽班进京"，出现了以京剧为代表的新兴剧种。京剧也是由地方剧形成的，原来不叫京剧。它是徽调、汉剧等剧种综合起来的。各种地方剧，如评剧、川剧的兴起，使花部战胜了雅部，这其中发生了很大的革命。

"角儿制"的逐渐形成，就是表演艺术发达的重要标志。就京剧本身来讲，从"同光十三绝"到"四大名旦"，形成了以梅兰芳为代表的戏剧观，"角儿制"在中国戏剧史上曾经是一件了不得的、推动历史前进的、功德无量的大好事。"角儿制"把表演艺术提升到了炉火纯青的地步。从历史观点看，"角儿制"是个相当大的进步。黄佐临认为：以梅兰芳为代表的戏剧观，是全世界三大戏剧观之一。但是，我却发现：以苏俄的斯坦尼斯拉夫斯基为代表的戏剧观，以德国的布莱希特为代表的戏剧观，包括后来的奥尼尔等都是以剧作家为主将，而我们中国却不是，直到现在，"角儿制"单向发展，没有形成"编剧主将制"

与"角儿制"相结合的局面,没有形成比翼齐飞、双轨并进的机制,以至于"编剧主将制"完全退位。在京剧界比较明显,地方剧不同程度也有。退位到什么情况呢? 退位到成为编剧附庸制、编剧幕僚制、以至于变成编剧奴仆制。编剧主将的地位被完全推倒了,"角儿制"走向另一极端,矫枉过正,把编剧主将贬低到了幕僚与附庸和奴仆的地位,编剧有奴仆之感。那么在戏曲舞台上就形成了表演艺术独自发达,剧本文学却衰落弱化的现象。今天的戏曲作家被人瞧不起,是"角儿制"慢慢形成以后才逐渐形成的。因为他们在戏剧界的地位非常之低,说穿了就是一种附庸、幕僚,为"角儿"写戏,至多是为朋友"打工"。剧作家的地位根本无法与"角儿"相提并论,档次差距悬殊很大。即便是京剧界比较优秀的剧作家,比如翁偶虹、范钧宏,虽然他们也写了大量的优秀剧本,可他们的地位远远不如"角儿"们,完全不能与梅兰芳相比。这种情况在个别地方剧要好一些,川剧的文学性还可以,"编剧主将制"过渡到"角儿制"时,相对而言程度上要好一点。川剧的"角儿制"还没有完全取代"编剧主将制",其他地方剧种就更说不上了,这样一来戏曲文学就弱化了。

从戏曲文学弱化,我们想到话剧。我们的戏曲文学不包括话剧,话剧的传统不同,话剧是直接从外国来的。是从莎士比亚、莫里哀、易卜生、高尔基、萨特、奥尼尔那儿来的。话剧传统没有变,话剧界仍然以剧作家为杠杆。曹禺、田汉、夏衍、老舍、洪深、熊佛西、陈白尘、于伶、郭沫若、阳翰笙……哪一个不是话剧界的主帅和主将?是他们在领导潮流,一直都是这样。戏曲界却不同,我们不是要争什么地位,而是由于剧本文学弱化以后,演员的地位过分大于剧作家,表演大于剧本,表演艺术不是与剧本文学结合起来,而是凌驾于剧本文学之上,这就势必造成形式大于内容,局部大于整体,唱腔大于唱词。

讲 座 丛 书

为什么说形式大于内容呢？观众到剧场只是看艺术形式，而不是看内容。观众听戏，只是听"角儿"的唱腔，不去思考戏剧的内容。就像现在唱的《沙家浜》里的"智斗"，很像小孩作游戏，观众看的是形式，没有想着那是抗日战争，那是打日本鬼子。看的都是形式而不是内容，因此戏剧内容弱化单调。可是形式却相当完美，其中的念、唱、做、打，一招一式太讲究了。为什么说局部大于整体呢？因为它折子小，片段好，由表演者八仙过海、各显神通，甚至出现一个"角儿"演三个角色的怪现象。比如说演《群英会》，前边他演鲁肃，不演诸葛亮，因为鲁肃在"草船借箭"里是活儿呀，诸葛亮在那个片段里是次要角色，只有鲁肃才是主角，他就唱鲁肃。但后来《借东风》了，他又演诸葛亮了，这时诸葛亮是活儿了。诸葛亮演完以后，《华容道》他又演关云长了。不是剧情需要他演三个人，这其中没有任何因果关系，剧本中也没这样规定，而"角儿"就是要这样演，哪一个角色出彩，我就演哪一个，跟内容没有关系。完全是明星至上，是"角儿"在那里显示"角儿制"，人们看也不是看内容，就看形式。因此总体不行，没有剧作家的统一构思，这样就形成局部大于整体，哪一个片段都不会考虑戏曲的总体结构和总体需要，比较杂乱，仅是片段非常好而已。再一个就是唱腔大于唱词，唱腔已经到了炉火纯青、精雕细刻，一个音符、一个节拍、一个吐字都是经过千锤百炼。但唱词粗制滥造，"美腔丑词"！我觉得这是一个有史以来最畸型的文化，你言派这样唱，我麒派这样唱，他马派又那样唱，各自精益求精。可他们的那些唱词就不敢恭维了，唱词甚至粗糙到了文理不通，与唱腔形成非常大的反差，把唱词锤炼得不要说优美，通顺一点行不行？在角儿制的天下，文学可有可无。角儿一腔定太平，何必锤炼唱词呢？这里面反映出社会对剧本的藐视，也是对戏曲文学主将制的藐视。"角儿"随便唱个"马儿跑"就行。另外京剧行里有个"定"，"安定团结"的"定"，成了"万金油"，编不出词来必然就"定"，简直成了一种畸形文化。京剧比较明显，地方戏也一样，地方戏有地方戏的"角儿"，到处都一样，"角儿制"通行中国。由于长期积累，就形成中国戏曲中的形式主义，形式主义的艺术，唯美主义的艺术，都是玩形式的，形式优不优美? 优美，可这种情况比较适合单纯的娱乐，娱乐要讲形式，但形式主义不行。美当然好，唯美主义不行。

中国国粹当中，京剧是最接近形式主义和唯美主义的。当然新中国建立以后，这种现象有所改变，但不是根本性的改变，因为剧作家的地位仍然没有解决。这与电影不同，电影是明星领衔制，但同时又是导演中心制。导演中心制和明星领衔制相互约束，很难说是明星大过导演，还是导演大过明星，他们是相互约束相互推动的。今天，电视形成了制片人挂帅制、明星领衔制、导演中心制，三架马车并驾齐驱，三者彼此互相约束、互相推动。戏曲编剧主将制断裂了一百三十多年，从清代中叶开始，即慈禧太后看戏时开始，戏曲文学就弱化了。时代呼唤戏曲文学，呼唤编剧主将制回归，变革成"编导主将制"和"角儿制"双轨结合，从体制入手，促成新时代戏曲的表演艺术和剧本文学双轨并行，比翼齐飞。

二、我对戏曲文学的探索

我们这一代人随着国家的改革开放，产生了一大群剧作家和一大批优秀的戏曲文学剧本。它们的文学性都比 20 世纪 50 年代、60 年代强。我的同行们，是一个剧作家群体。他们各有各的经验体会，我只是其中之一，或者说是比较有代表性的一个人。比如福建就有"武夷派"，浙江有"西湖派"，湖南有"湖湘派"。总之，我只是剧作家群的一个代表，我代表他们到这来

讲座丛书

说话,如此而已。由于有这样一个群体,就形成了以剧本文学带动演出、推动演出这样一个回归。我们的出现改变了观众对戏曲编剧的价值观念,否则我就不会到这来讲课,你们就请"角儿"了,在我和我的朋友们的身上,可以看到已经断裂的一百几十年编剧主将制的影子。我做了些努力。我是写地方戏的,我是拨乱反正后,改革开放的产物。我是从一个草台班子、一个中小城市剧团的编剧人员走入中国剧作家行列的。我是时代的产物,没有这个时代,也就没有编剧主将制的回归。我自己一言难尽,这二十年来拼搏比较多。现在选择要点说说我的一些努力。我从改革开放以来已经出了九个大戏,除了最近这个戏还有待实践检验外,前边八个大戏,都在全国乃至海外,产生了比较大的影响。作为一个剧作者,我自己"个案"与我的朋友不一样,我身上有三种童子功。所谓"童子功"是从小练就的。一种是戏剧童子功。我是演员出身,七岁就会唱戏曲的"卡拉 OK",九岁正式登台,叫"九龄童",什么戏都唱过。从草台班子唱到成都,在小地方还算有点小名气,我唱戏的时候就像现在天津京剧童星刘筱源,到处受欢迎,我唱戏时年岁比她稍大一点,就是那么个味。我从那个时候起,在一个剧团呆了一共四十九年,最近才"挪窝"。我从九岁到五十七岁,1950年到 1997 年一直没有换单位,这也是个很奇特的经历。这使我从小对戏剧不仅是耳濡目染,而且是身体力行。这就形成了我的戏剧童子功。有戏剧童子功的人多得很,包括我们的"角儿",许多还是科班出身。但是我同时还具备另一个童子功,即文学童子功。为什么叫文学童子功呢?有很多朋友从小唱戏,到了中年才开始进修、学文化,去补充。或唱戏唱到半路上,因工作需要或其他原因去学文学。而我是从唱戏一开始就练文学的童子功。我虽然辍学了,可是我在唱戏的同时自修文学,台上唱戏,台下读书,正是"台上生净末丑,台下诗词歌赋"。我没唱过旦角,没唱过女的。我从九岁开始学汉赋唐诗宋词,九岁就能把《滕王阁序》背个滚瓜烂熟。所以,我现在才能勉强写点碑文。我从失学以后,再也没有机会到学校或编剧进修班或文学讲习班去学习。完全是自学,我是个自学成才和逆境成才的人。我的文学童子功和戏剧童子功是同时并进的。第三个童子功是"运动"童子功,不是体育运动的运动,我不会体育运动,我是"三尺戏子,一介书生",是个文弱书生。"运动"童子功是"政治运动"童子功。我从九岁起就卷入政治运动,就是单位上的人员,就有工作了,就参加运动。民主建政、减租退押、清匪反霸等等,有多少运动我就参加多少运动。成为年龄最小的"老运动员"。这个"运动"童子功确实不是一般人能有的。它也不仅是耳濡目染,而是身体力行。50年代中期,反右运动我就卷了进去,因为年龄太小,只有十六七岁,虽然没有扣上帽子,但是水平是达到了。我很早就进入社会大学,很早就饱经人间的忧患,深入到社会的底层。

我的三个童子功不可能在一般人身上同时兼备,由于我特殊的经历,从小就形成我特有的思维方式——逆向思维。我从小就习惯不搞人云亦云。逆向思维是一种特殊的复合型思维。"一石激起千层浪",这种思维具有创造性,它不是守成型思维。所以,我用逆向思维方式从特殊的角度看"编剧主将制"和"角儿制",思考为什么元人杂剧会发达?我在这二十年中对戏曲文学做了点实事。其中之一是我搞戏从来是戏剧性和文学性同步、双翼齐飞。我对剧本的要求是台上可以演,台下可以读。我的剧本有卖点,还可以签名售书。现在人们的阅读方式起了变化,剧本能卖的很少了。莎士比亚的十四行诗、高尔基的小说、契诃夫的小说还有人买,而莎士比亚、契诃夫、高尔基的剧本已经很少有人买。时代不同了,阅读方式变了。当代剧作家的剧本也不好卖。我稍有例外,剧本文学性比较强,有可读性。在西安签名售剧作集,一小时卖了四百多本。我要求从剧本开始,要符合我的"编剧主将制"和"角儿制"比翼双飞的理论。我希望剧本可视性与可思性并举,即要好看,又要经得起推敲,启发思考。形式要好看,内涵要可思,这是我的剧本的一个特点。台湾是不出剧本的,台湾没出过当地剧作家的剧本集子。台湾作家的剧本一样不好卖,但是我的剧本集子却破例在台湾出版。我是一戏一招,既不重复别人,也不重复自己,我老是变招,比如我写一个戏,即使是路数很对,但我写下一个时马上变路子。我不会一棵树上吊死,有时候变招变得很大,比如《巴山秀才》、《四姑娘》那是一种戏剧观,而我的《潘金莲》换招就换大了,换得全国惊异。《潘金莲》以后人们以为我要永久荒诞下去了。我又换《诸葛亮》,追求典雅。人们又以为我会写《司马迁》,可我又写《图兰朵》去了,然后我又《变脸》了。我的招变得很大,从戏剧观、手法到构思都变。雅的、俗的、合乎传统的、洋的、各种形式内容,一戏一招,变化比较大,最近我又变一招叫《好女人坏女人》,现在在四川初演,北京还没有调演,马上要到上海国际艺术节演出。我虽然善于变招,但有一招没变,万变不离其宗,即招招不离人间烟火。每个戏都关注世上波澜,这招我不变。我的戏都充满忧患意识,这是我这个平民作家的特点,我是个具备三种童子功的平民作者。不管形式怎么变,哪怕写潘金莲、写图兰朵都是这样。我一戏一招,别人不能预计出我的戏路子,对我的河流的流向判断不出来。我的可塑性比较强,我写什么和怎样写都不好预计。我是1979年成名的,改革开放二十年,我没有落伍,到现在每年都要踹两脚,都要有所表示。我一直成为当今文坛上关注的重点和争议点,是个焦点人物。夸我与骂我的一直没有断。我的朋友,有的是开始比较有名,后来作品不太被关注了;有的是以前没有出现,起步迟一点。而我二十年来一直活跃,因为我变招，我戏变招，文也变招。变杂文，将杂文引进戏里边来了，人家叫杂文戏。然后又写戏杂文，把戏曲引进杂文里去。最近又写碑文。每一招拿出来都会有争议。写戏，争议我的戏，写杂文，争议我的杂文，写碑文，争议我的碑文。走到哪里争到哪里，写到哪里议到哪里，就这样，我一戏一招，一文一招，一碑一招。我这人一辈子争不完。再一个我是苦吟成戏，苦吟成文，苦吟成碑，我不是即兴派，不是文思泉涌，一天可以写成几万字，我是苦吟派。"苦吟"出自贾岛的诗，唐代以孟郊、贾岛为代表的诗派叫苦吟诗派，"郊寒岛瘦"，人家说他太苦了，称之为"诗中之囚"，李贺是"诗中之鬼"，我是苦吟派，虽苦无怨。我写戏写文章要求自己非常严格，非常苛刻。十年磨一戏，不是一种夸张的说法。十年磨一戏，不是每天都在写，而是有周期，要经过多少年实践，一步一步来改。通常一个戏从它起草到完成，需要六七年，七八年都很常见，我是苦吟下来的。不但我的戏，我的文章也是如此。苦吟成文，一篇文章千字左右，我要写一个月，是反复锤炼出来的。我没有"捷才"，我的捷才在哪里？就是我思路比较快。我可以出主意、出点子，现在叫"点子公司"。但我要把主意用我的笔表达出来就慢了。因为我是苦吟成文、苦吟成碑的，这就决定了我的作品肯定数量少，但质量不会太差。因为我的文章是千锤百炼出来的，它必然少，必然精，我这辈子不可能高产。有人请我写电视连续剧，我写不出来。电视连续剧三十集、四十集的长度，我所有的作品加起来都没有那个长度，等我写要等到下辈子去了。这就决定了我的作品不多，但比较精，也许观点、技法会引起争议，但决不粗制滥造。它们是经过呕心沥血、惨淡经营出来的。这是我的第一个特点。

因为长期以来戏曲编剧附庸制恶性循环，戏曲作家越没有地位，就越没有人写戏，越没有人写戏，就越没有创造。我的

讲座丛书

思维方式决定了我的观念比较新潮,中国人爱人云亦云,现在有的词很时髦,比如打造,到处都打造,何必都打造呢?一说锁定,到处都锁定。文贵创新,不能把某个词用滥了。我认为:人云亦云,一钱不值,独立思考,无价之宝。文学,不仅要与时俱进,还要越时而进!文学是预言家,是早叫的"公鸡",《红楼梦》就是预言了某一个时代、某一种社会的崩溃。我虽然在一个小地方,但思维往往跟"时代新潮流"有默契和共鸣。第一,我头脑里是"三无世界",即'无偶像、无禁区、无顶峰'。"三无世界"本来是科学家的头脑,我借鉴用之。可以有楷模,但不能有偶像。"无禁区"就是什么都可以研究。我在政协会上谈到"小燕子现象",有人说青少年以前是"小绵羊",现在都学小燕子,要求个性,强调个性解放。我认为崇拜偶像和个性解放是两码事,偶像是相同的,真正的个性解放是没有偶像崇拜的。把"小燕子"当偶像,连个歌星都崇拜还能有个性吗?不是完全被同化了吗?我没有偶像,不等于没有楷模式的人物。上海古籍出版社出了一套书《图说名家格言》系列,共五卷,把李敖、柏杨、王蒙、贾平凹和我的著作中的话选出来配画,一段语言一幅画。我在我的那卷书的扉页上写着:我的格言就是不迷信一切格言。第二,我提倡"三独精神"即独立思考、独特表述、独家发现。独立思考肯定要注重思辩,真正独立思考以后就会有独家发现,我的观点是不是都正确,我不敢说,但肯定是我的独家发现。刚才我说的"编剧主将制"与"角儿制",从历史上看没有人这么说,是我独立思考发现的。还必须有独特的表述,自己独特的文风,独特的艺术构思、独特的语汇来表述经过自己独立思考的独家发现。这就是我所谓的"三独精神"。最终把它消化在我的戏曲文学里边。第三,我要求三层境界。这个境界不是所有文学作品都要如此,写小说、散文、诗歌就不一定。但是写戏一定要这样。第一要引人入胜,第二要动人心弦,第三要发人深省。为什么写小说、写散文、写诗歌不一定呢?因为小说不一定马上就引人入胜,有各种写法。诗和散文,引人入胜不是它的必然属性,当然要有也可以。可是写戏就不然,写戏必须首先看有戏没有戏。舞台上演出与看书不一样,看书开头一看,不引人入胜,我可以不看,或选看我喜欢的章节,读者可以随意选择。戏就不行,人坐在剧场里,强迫你看戏,不能由你翻,如果戏一开场不能一下子抓住你,那你就打瞌睡,或者聊天,甚至上卫生间了。引人入胜是戏的基本细胞,如果没有这个东西,就不叫戏。可以说这是个很好的小说、很好的散文、很好的论文、很好的诗,但不是好戏。另外,戏单单引人入胜还不够,即使剧情起伏跌宕、扣人心弦,在戏里搞点特技,看上去很花哨,这还不够。第二个层次叫动人心弦。戏不仅是让人们悦目,不仅是满足娱乐的层次,还必须打动你内心深处,调动你的情感。比如说我写的是悲剧,肯定要让你流泪,"戏油子"看了也辛酸! 要是喜剧,包括"戏油子"也会跟着笑。我要使台上大悲大痛,你在台下也大悲大痛,从情感上征服你。第三是发人深省,就是通过戏的好看,还要告诉你一种东西,即通过戏剧中的人物、形象和情节,让你回去以后一直在思考,思考历史和未来,思考人生这部大书,引起你的深思。戏曲剧本有两种情况目前较为普遍,一种情况是比较肤浅,单纯注重娱乐功能,好看就行了,没有动人心弦、发人深省,没有灵魂震撼。当然这也算一种风格,但这不是我追求的境界。另外一种就是玩深沉,想出一个哲理的命题,好像要告诉你什么,而仔细一想又什么都没有,又不好看,又不打动感情,仿佛在台上向观众说,你糊涂,我比你更糊涂,你不懂,我比你更不懂,观众不入其门,这就叫玩深沉,故作高深。写戏的人忘记了戏要有戏,要引人入胜、动人心弦,然后才能达到发人深省的目的。

戏曲要有民族形式。有一句话到处都在说:"越是民族的

讲座丛书

就越是世界的",我觉得只有一半是对的,"越是民族的就越是世界的"指的是艺术形式,比如京剧,艺术形式不能被洋人同化,要保持自己民族特有的风格,特有的风骨。从这个意义上说,只有民族的才是世界的,越是民族的越是世界的,这是对的。但是,内涵不一定是这样。为什么不一定呢?我们国家是从几千年漫长的封建社会演变过来的,在我们的观念中从来就是闭关锁国的,"老死不相往来",因而产生的观念就不是世界的了。闭关锁国的前提决定了很多观念都是封闭保守的,那么,内容越是民族的岂不越是闭关锁国的了吗。比如,我的作品主题坚持反封建的内涵,《四姑娘》、《易胆大》再到《潘金莲》,始终是反封建的。我们用民族的形式不能装封建的内容,我说的内涵包括两个东西,一个是民主性精华,一个是封建性糟粕。形式用传统的,最国粹的,内涵就不一定。如果内涵是封建的,形式多么民族化,也是封建戏。我国有些名戏是很好的戏,艺术性很高,包括《四郎探母》、王宝钏《大登殿》,形式非常优美,可里边内容太封建了。旧戏里边封建内容多得很,"一夫多妻"、"帝王崇拜"等封建思想根深蒂固,深入骨髓。我写戏主张继承和变革。运用我们自己的民族形式,强调我们自己的民族性,包括我的文风绝对是中国的文风,我的文章,我的碑铭,多是骈文,绝对是中国式的。我很少有欧化的文字,可是我写戏的内涵恰好跟世界潮流比较接近,尽可能地吸取民主性精华,剔除封建性糟粕。我创作的八九个戏,最成熟的戏不是影响最大的戏,影响最大的戏,也不是上下都公认的戏。比如说《潘金莲》、《中国公主图兰朵》,它们分别是我写的戏中影响最大的戏,可这两个戏不是我最成熟的戏。我有个戏叫《夕照祁山》。让内行看,当然是最成熟的戏,但这个戏没什么影响。获奖最多的是《变脸》,川剧《变脸》囊括了我国戏剧奖中所有奖项,获奖最高,但不是影响最大。影响最大、争议最大的是《潘金莲》，是我的戏剧作品中的一个典型个案，甚至在八十年代中期掀起一个"潘金莲风暴"，引起全国性的争议。演到哪里争到哪里，一直争到海外。说好的把你捧上天，说差的把你按倒地下。无非是这么两点，一是内容离经叛道，站在今天这个时代，反思"潘金莲"式的妇女的命运，这是个太敏感的话题。大家都知道，潘金莲是个淫妇的代表，是"祸水"，几百年来被认定是最坏的女人，可在我眼中看却不是那么坏，或者说她是一步一步被人逼得沉沦的。她的沉沦不能用祸水论、淫妇论来解释，而是有其他的原因。她是个复杂的形象，在她身上有值得同情的、甚至值得赞扬的地方，当然也有值得惋惜、值得谴责的地方。施耐庵笔下的潘金莲完全是祸水，是淫妇。插一句，电视剧《水浒》影响比较大，我的朋友《第二次握手》的作者张扬，曾经写过一篇文章，说："电视剧《水浒》四十集，有三十五集是根据施耐庵的《水浒传》改编的，观点与施耐庵一样。其中五集牵涉到潘金莲的内容不是施耐庵的观点，而是根据魏明伦的《潘金莲》改编的。"那是我的观点，不是施耐庵的观点。戏里边有些同情潘金莲的内容，对她的处理不是简单化的。在当时，十八年前，我写这个戏时四十四岁，现在我六十出头了。我那时提出的观点，在一部分人看来，简直是大逆不道啊，是洪水猛兽，怎么可以这样写潘金莲呢？可是通过时间的推移，现在有很多人接受了我的观点，印证了我的观点没说错。所以，我说要超时而进，现在反对《潘金莲》的人越来越少了，支持的越来越多了。当时的状况是，"两个凡是"还没有消除，还没有完全从"十年动乱"的阴影中脱离出来。中央电视台播放英国的电视连续剧《安娜·卡列尼娜》，居然很多人反对，要求中央电视台停止播出，认为这是个坏作品，因为安娜·卡列尼娜是个荡妇，卡列宁是个好的公务员。居然认为如果再演下去会破坏我们中国人的家庭稳定。现在看这不是瞎说吗？可当时就是这

讲座丛书

样。就在那种思想比较禁锢的状况下产生的《潘金莲》。不是我偶然想写潘金莲，而是时代在呼唤，在舞台上应出现重新评价、认识潘金莲式的妇女们的婚姻命运。当时是要冒很大风险的。"魏明伦写妖戏"，绰号"魔、鬼、妖"，都是这个时候出来的。我的戏当时如果只是内容比较"离经叛道"，不可能达到那么大的反响，这里面还有一个艺术形式上的"离经叛道"，我搞了个土产荒诞戏，不是外国严格意义上荒诞派。我只是吸取了荒诞派戏剧中某些表现手法，构筑成我戏中的土产荒诞，叫荒诞戏，荒诞在哪里？现在看也没什么，不过当时是我首先使用的。这个戏总体的构思，一开始就把古今中外的人物都集中到这个戏里，让他们跨朝越国而来。不是一个片段，也不是一个人物，而是大量穿插，始终贯串，内外交流，都来与潘金莲比较命运，评说潘金莲。在潘金莲绝望的时候，托尔斯泰笔下的安娜·卡列尼娜首先来了，她说："幸福的家庭都是一样的，不幸的家庭各有各的不幸"，"算了，咱们一道去卧轨自杀吧"。贾宝玉也来了，他代表的是曹雪芹。曹雪芹的女人观与施耐庵的女人观是截然不同的，都是优秀作家，曹雪芹连王熙凤都写她好中有坏，坏中有好。那怎么表现这个问题呢？贾宝玉出场的情节，恰好是潘金莲与张大户抗争。张大户要霸占潘金莲，潘金莲坚决不干，这个阶段的潘金莲是毅然反抗，这个形象跟《红楼梦》里鸳鸯抗婚是一个性质，跟金钏投井是一样的，这个阶段的潘金莲是值得赞扬的。施耐庵不是这样看待。所以我让贾宝玉出场，他唱："抗婚的鸳鸯沉苦海，投井的金钏魂归来，潘金莲若进红楼梦，十二副钗添一钗"。十二金钗，还有一钗是潘金莲。当潘金莲看见武松游街神往的时候，贾宝玉马上就想到："水浒若让宝玉写，墙头马上红线牵。"这段戏不是为了写贾宝玉而写贾宝玉，而是把有些情节有机的组织进去。武则天作为一个人物也写进戏里，武则天说我杀了多少人，从来没有人敢挖我的心。因为你潘金莲是个民间女子,我是个帝王,帝王杀人再多也是圣明万岁;你一个民女就罪该万死。按照三从四德,你既然是武大郎的妻子,就绝对不能对武松产生爱慕。可是太宗皇帝可以选我为才人,高宗皇帝也可以接纳我为妃子,父子同妃,居然是天经地义。而潘金莲对武松产生爱慕是大逆不道?太不公平了。于是乎武则天就叫"当官不为民做主,不如回家卖红薯"的七品芝麻官来审案,这位清官翻遍了所有的经典,没有一条是为潘金莲说话的,都是"三从四德","在家从父,出嫁从夫,夫死从子","嫁鸡随鸡,嫁狗随狗","嫁个门板背着走"。用芝麻官的语言,嫁给公鸡,就是抱鸡母,嫁给仔猪,你就成老母猪,没有别的条款。你不是号称清官吗?由此可见所谓清官,包括包公、海瑞,也只能治个"伤风感冒",治不了

讲 座 丛 书

"妇女病"。台下哄堂大笑,很幽默。问题提出来以后,潘金莲的遭遇引起评说争论,一直到引出现在的法官出场。把事件延伸到了古今中外的各种人物,都来与潘金莲比较命运,形式与内容都是离经叛道,哪有这样编戏,简直是胡诌八扯,被人视为"洪水猛兽"。实际上我这个手法,是出于内容的需要,单演潘金莲不容易说明问题,必须要跟其他的女人比较命运才能说明问题。后来有人也学我的这招,但学得不好,动辄就是古今中外的人物在一起,你们的那个写法就不一定合理,但是我的这个写法是合理的,形式和内容要结合。《潘金莲》已经不仅仅是戏剧问题了,它开始从戏剧界讨论到文学界,又讨论到社会。《中国妇女报》还专为此开辟了专题讨论,长达八个月讨论牵涉到当时婚姻、爱情、伦理、家庭、法治、道德等等各种问题,成为一个社会性话题。观众不管是内行还是外行都反映很强烈,有人认为我太勇敢了,有人是坚决反对。我认为写别的女人达不到这个效果,只有写潘金莲才能家喻户晓。这个戏一直是热点,全国有两百多个剧团,几十个剧种,一直在演。台湾

演,香港演,美国报纸也发表剧本,或是全文发表,或是连载。戏曲剧本在美国的报纸、刊物上发表是从来没有的事,真是演到哪里争到哪里。真可谓"毁誉交替,褒贬交加",整个来说是褒大于贬,誉多于毁。戏曲剧本《潘金莲》,成了新时期中国文学史上探索作品的代表之一!

《图兰朵》影响比较大,几乎没有争议,比较认同。《图兰朵》是个国际题材,是西洋经典歌剧。简言之,他是外国人臆想中的中国公主,我写的《图兰朵》是中国人再创的外国传说。中国对外演出公司的同志促成了这个事,此前,川剧《图兰朵》只是在地区上有影响,后来因为"多国部队"参加,张艺谋他们一大批人集合意大利佛罗伦撒歌剧院在太庙演出, 图兰朵东归。1998 年 3 月份开全国政协会,张艺谋跟我在一个组,此时我的戏已在四川有了名气了,对外演出公司看过了,认为这两个戏可以安排一个时间演出,经过撮合,他们演出的同时,我们被调到北京同时演。西洋歌剧在太庙演,我们的戏在全国政协礼堂演。气派、包装、排场与多国部队不能比,但文化效应是各有优势。我们作为一个小剧团和地方剧种,能在这个题材上与国际通行的经典歌剧相提并论,是不容易的。如果说各有千秋,"千秋"在哪里,记者采访张艺谋,北京见报发了一大版,标题叫作"光不惊人死不休",张艺谋在导演上用光用得好。我从中受到启发, 总结出西洋歌剧与中国戏曲的不同点。歌剧《中国公主图兰朵》是"声不惊人死不休",由于剧种不同,审美观不同,西洋歌剧最重视歌唱艺术,世界著名音乐家唱,帕瓦罗帝、多明戈唱,是声不惊人死不休。第二个是"乐不惊人死不休",乐就是演奏,一个唱,一个演奏,祖宾·梅塔指挥大乐团,确实惊人,唱得好,也演奏得好。第三个是"光不惊人死不休",这一点他找准了。张艺谋充分调动和运用了他电影、摄影方面的天才,将光影艺术发挥到了极至。第四个是"画不惊人死不休"。画面、场面调度充分显示出张艺谋的天才，原来以为宫殿是固定建筑物，后来房子能走路了，能够开合，画面的调度非常神奇。这是西洋歌剧的四个特点，很符合它的本质和它演出的优势。而我们的特点是借用杜甫的话"语不惊人死不休"，靠语言艺术，唱词、道白。观众是可以为语言艺术鼓掌的。过去的戏曲，由于"角儿制"的影响，鼓掌往往由于"角儿"的拖腔高，一声唱下来，绕梁三日。观众看我的戏鼓掌是鼓在戏剧语言上的，那个地方既没有拖腔，也没有什么情节、绝活和变脸，就是平常的唱法，比如唱到"潘金莲若入红楼梦，十二副钗添一钗"下面就鼓掌。再比如潘金莲对武松表示自己感情的时候，武松不太懂，没有明白过来，他唱："我愿做尊兄敬嫂、秉烛待旦的关二爷"，他一唱，帮腔叹气了，幕后伴唱："关二爷，武二爷，都不是怜香惜玉的宝二爷"台下鼓掌，掌声如雷。唱词中都是二，要是宝二爷就不一样了，他不仅会同情她，也不会粗鲁的对待她。类似这样的语言，观众会鼓掌。《图兰朵》中这种例子也有很多。第二个是"戏不抓人死不休"。与西洋歌剧不一样，西洋歌剧不太重视戏剧矛盾，不太重视戏剧波澜，我们的戏要抓人，来了以后不会让你走的，甚至让你觉得连上卫生间都怕漏掉内容。从头至尾的戏剧波澜，戏剧悬念，出乎人们的意料之外，在乎于情理之中。第三是"情不动人死不休"。更深一层的打动人，不仅是抓人，而且要感人，催人泪下。戏情动人，尤其当柳儿死了以后，图兰朵的忏悔和无名氏的觉醒与升华都是催人下泪的，很多人都哭了。第四个是"理不服人死不休"。理就是情理，不能为了好看而使悬念不合情理。剧情要以情理服人，再怎么起伏，再怎么跌宕，肯定要合乎情理。并由情理上升到哲理。我们是以这"四个死不休"，与西洋歌剧的"四个死不休"保持各自的优势，争取各自的观众。以上讲的是我和我的朋友们在新时期戏曲文学领域的探索，促使断裂的"编剧主将制"慢慢愈合，我在这方面有些代表性。

讲座丛书

三、戏曲文学在当前的困境

这个困境既是戏曲文学的困境,也是中国戏剧的困境。甚至是所有舞台艺术共同的困境。当代剧场演出的共同特点是台上振兴,台下冷清,观众稀少。为了振兴戏曲,同仁多年拼搏。台上的质量不错,台下的效益不佳。练功房可歌可颂,售票房可悲可叹。搞戏的自我鼓劲,看戏的上帝没劲。赛场争夺激烈,剧场上座冷清。评委席济济一堂,观众席寥寥无几。20世纪末的戏曲状况大体如此,21世纪初的戏曲预测也大约如此。

我也曾就戏论戏,只是从戏曲本身的思想内涵与艺术形式上找原因,下功夫。台上的质量确实步步升高了,甚至突飞猛进了。但台下的观众市场却没有随之上涨,依然门庭萧瑟,使人百思不得其解。近年扩大眼界,总算有所领悟。

这是全世界剧场舞台艺术在世纪交替时期遭遇的共同困境。中国戏曲之所以倍显衰落,是因为中国戏曲从前特别繁荣强大,由兴到衰的悬殊就特别突出。全世界剧场舞台艺术的黄金时代都过去了,已经进入电视电脑时代,不可能挽回其鼎盛春秋。为什么?因为在电视电脑时代,全人类的生活方式大大改变,文娱方式必然随之巨变。

现代人坐在家里便可舒适地饱览一切,用不着经常跑到剧场里,泡在舞台下看演出。而剧场舞台艺术的基本属性,是需要观众到台下与台上面对面交流。按照戏剧规律,剧本是一度创作,排练是二度创作,还必须汇同演出现场观众的"三度创作"共同完成。观众与演员对面交流,本来是舞台艺术的优势;可是在电脑时代,过去这种优势反弹过来,成为舞台艺术的致命弱点。现代人绝不会经常泡在剧场里陪台上演员对面交流。一些专家只看到戏曲与观众直接交流是电脑电视不可取代的特色,却没有看到这种特色正是戏曲难以争取观众,乃至无法"拉拢"观众的根本原因。

把戏曲拍成电视,是一项补救之法。然而,戏曲搬上荧屏,就失去了剧场烘托的特有氛围,失去了与观众对面交流的"第三度创作",失去了戏剧基本属性的重要组成部分。舞台艺术,是"一亩三分地"上的功夫。其假定性与电视的逼真性发生矛盾,虚拟与实景常常牴牾。许多搬上荧屏的戏曲,都比舞台演出大为减色。舞台艺术拍成电视,则转化为电视文化;而在电视文化中,戏曲电视只是附庸。失去了舞台优势的戏曲,无力与电视剧等荧屏主力军竞争。

我认为:当代戏曲、剧本创作,二度创作,都不弱于从前的戏曲,是可以与前人媲美的。无法较量的是"第三度创作";观众、票房、市场,与鼎盛时期戏曲的上座率差别太大。当代戏曲的内部条件确实在发奋自强,成绩卓著。但外部环境今不如昔,回春乏术,说到底,人类的生活方式巨变矣。从前,观众三日不可无此君的"君"是剧场舞台。如今,此"君"已变为家中电视,室内电脑了!

这样说来,戏曲是否会在新世纪消亡呢? 不! 新世纪虽不是戏曲的黄金时代,但不等于没有戏曲! 我们的思维方式爱走两个极端,或者万寿无疆,或者寿终正寝,二者必居其一。其实,在鼎盛与消亡之间,有很宽阔的弹性地带。戏曲在新世纪必须致力于体制改革,与艺术改革同步适应时代。适应者生存,改革者生存,可以在强手如林的百花园里保持"一亩三分地"。为使偏安一隅得以长久,我们这一代"受任于危难之际"的戏曲家们,将付出倾盆汗雨,毕生心血。

(演讲时间:2002 年 3 月 9 日)

(录音整理:蔡萍)

陈平原

"五方杂处"说北京

　　陈平原，文学博士，北京大学中文系教授，中国现代文学教研室主任，北京大学"二十世纪中国文化研究中心"学术委员会主任。主要研究成果：《北大精神及其他》，上海文艺出版社，2000年；《文学史的形成与建构》，广西教育出版社，1999年；《中国现代学术之建立》，北京大学出版社，1998年；《中华文化通志·散文小说志》，上海人民出版社，1998年；《老北大的故事》，江苏文艺出版社，1998年。

为什么是北京

在我心目中,毫无疑问,"北京研究"将成为中国学界的热门话题。会有像样的"大书"出现,但非我所能为。这样一来,我的任务很简单,那就是引起诸位的兴趣,然后全身而退,等着观看后来者的精彩表演。

正因为不是专业著述,不妨从琐碎处讲起。1980 年代的

北京,市民生活还比较艰难,市场上没有活鱼,洗澡也很麻烦。不断有人劝我回广州工作,那里的生活明显舒适多了。别看北京城市规模很大,现在整天谈论如何成为国际性大都市,但很长时间里,在上海人、广州人看来,此地乃"都市里的村庄"。报刊电视上,常有名人谈论选择杭州、深圳、广州或上海居住的十大理由,北京呢?我还没见到过标准答案。说天安门,有些硬,太政治化了,像是 1960 年代中学生的口吻;说琉璃厂,又有点酸,太书生气了,搁在 1930 年代悠闲的大学教授口里还差不多。

为什么喜欢北京?专业研究那是以后的事情,不会是因为课题需要而选择居住地,只能是相反。那就说是因为圆明园、颐和园、故宫、长城吧,可这些都是旅游胜地,几年走一遭就足够了,何必整日厮守?实在要给出一个答案,我就说:喜欢北京冬天的清晨。

人常说第一印象很重要,决定你对此人此物此情此景的

基本判断。我没那么坚定的立场,不过,时至今日,还是清楚地记得二十年前初春的那个清晨,大约是六点,天还没亮,街灯昏黄,披着借来的军大衣,步出火车站,见识我想念已久的北京。你问我第一印象是什么,那就是空气里有一股焦糊味,很特别。大约是凛冽的北风,干冷的空气,家家户户煤炉的呼吸,热腾腾的豆浆油条,再加上不时掠过的汽车尾气,搅拌而成的。此后,也有过多次凌晨赶路的经验,如果是冬天,深感北京破晓时分所蕴涵的力量、神秘与尊严。这种混合着肃穆、端庄、大度与混乱的"北京气象",令人过目不忘。

半个多世纪前,已经在北京住了二十个年头的周作人,也曾碰到过类似的追问,在《北平的好坏》里,周是这样作答的:"我说喜欢北平,究竟北平的好处在哪里呢? 这条策问我一时答不上来,北平实在没有什么了不得的好处。我们可以说的,大约第一是气候好吧。据人家说,北平的天色特别蓝,太阳特别猛,月亮特别亮。习惯了不觉得,有朋友到江浙去一走,或是往德法留学,便很感着这个不同了。"这话很让我怀念,也很让我向往,因为,今天生活在北京的人,如果到过德国、法国,或者到江浙一带转一圈,很少再有胆量夸耀北京的天色特别蓝。今日的北京,有很多值得夸耀的地方,惟独空气质量不敢恭维,起码沙尘暴的袭击便让人胆战心惊。

为什么是北京,对于很多人来说,其实不成问题。住了这么多年,有感情了,就好像生于斯长于斯,没什么道理好讲。当初只是凭直感,觉得这城市值得留恋。久而久之,由喜欢而留意,由留意而品味,由茶余酒后的鉴赏而正儿巴经的研究。

在北京居住十年后,我一时心血来潮,写了则短文《"北京学"》,题目挺吓人,不过是打了引号的。大意是说,近年北京古籍出版社刊印的明清文人关于北京史地风物的书不好销,而京味小说、旧京照片、胡同游、北京微缩景观等却很受欢迎。可

讲座丛书

见"北京热"主要局限于旅游业和文学圈，学界对此不太关心。为什么？很可能是因为北京学者大都眼界开阔，更愿意站在天安门，放眼全世界。上海学者关注上海的历史与文化，广州学者也对岭南文化情有独钟，而北京学者更希望谈论的是中国与世界，因此，有意无意间，遗漏了脚下同样精彩纷呈的北京城。

常听北京人说，这北京，可不是一般的大城市，是中华人民共和国的首都。这种深入骨髓的首都（以前叫"帝京"）意识，凸显了北京人政治上的惟我独尊，可也削弱了这座城市经济上和文化上的竞争力。首都的政治定性，压倒了北京城市功能及风貌的展示，世人喜欢从国家命运的大处着眼，而忘记了北京同时还应该是一座极具魅力的现代大都市，实在有点可惜。对于自己长期生活的城市没有强烈的认同感，这可不是好事情。上海学者研究上海，那是天经地义；北京学者研究北京，则似乎是地方课题，缺乏普遍意义，低一档次。其实，作为曾经是或即将成为的国际性大都市，北京值得学者、尤其是中国学者认真对待。不管是历史考古、文学想象还是现实规划，北京都不是可有可无的小题目。

作为旅游手册的北京

当今中国，北京作为政治中心，文化中心的地位，一时还没有受到严峻的挑战。其实，北京的优势还在于其旅游资源极为丰厚——这可不只是面子问题，更直接牵涉到文化形象与经济实力。谈论北京，不妨就从这最为世俗而又最具魅力的侧面说起。

对于一个观光城市来说，旅游手册的编撰至关重要，因那是城市的名片，决定了潜在游客的第一印象。对于初到北京的人来说,街头以及书店里随处摆放着的中外文旅游手册,制约着其阅读北京的方式。所谓"酒香不怕巷子深",这种不合时宜的思路,在商品经济时代,几无立足之地。广而告之,深恐"养在深闺无人识",这种推销方式,不要说旅游局,就连各级政府官员,也都驾轻就熟。现在全都明白过来了,发展号称"绿色经济"的旅游业,需要大造声势。同样是做广告,也有高低雅俗之分。所谓"雅",不是文绉绉,而是切合对象的身份。诸位上街看看,关于北京的众多旅游读物,有与这座历史文化底蕴十分深厚的国际性大都市相匹配的吗?不要小看这些实用性读物,此乃一城市文化品位的标志。

这些年,利用开会或讲学的机会,拜访过不少国外的著名城市。只要稍有闲暇,我都会像在图书馆读书一样,认真阅读一座座充满生机与活力的城市。转化成时尚术语,便是将城市作为"文本"来解读。用脚,用眼,用鼻子和舌头,感觉一座城市,了解其历史与文化、风土与人情,是一件没有任何功利目的、纯属个人享受的业余爱好。我相信,很多人有这种雅趣。不只是到处走走,看看,也希望通过阅读相关资料,提高旅游的"知识含量"。这时候,旅游手册的好坏,变得至关重要。

十年前,客居东京时,我对其历史文化产生浓厚兴趣,不时按图索骥,靠的是东京都历史教育研究会集合众多学者共同撰写的《东京都历史散步》。去年七八月间,有幸在伦敦大学访学,闲暇时,常踏勘这座旅游业对国民生产总值贡献率极高的国际性大都市。书店里到处都是关于伦敦的书籍,少说也有近百种,真的是琳琅满目。随着对这座城市了解的日渐深入,顾客很可能从一般介绍过渡到专业著述;而这,尽可左挑右拣,"总有一款适合您"。在我所选购的几种读物中,最欣赏的当属 Michael Leapman 主编的"目击者旅行向导"丛书本《伦敦》,因其含有大量历史、宗教、建筑、艺术等专门知识。尽管英

讲 座 丛 书

文半通不通,依旧读得津津有味,因此书编印得实在精彩。而且,日后好些活动,都是因为这一阅读而引起。

不经意间,在手头这册精彩的《伦敦》封底,发现一行小字:Printed in China,不禁大发感慨,为什么在北京就没有见到过这样既实用又有学问,还装帧精美的旅游书?当然,主要不在印刷质量,而在编纂水平。坦白地说,即便不说文化传播,单从商业运营的角度,北京的"自我推销",也说不上出色。国外大都市的旅游手册,你翻翻作者介绍,撰稿者不乏专家学者,且多有相关著述垫底。虽是大众读物,却很有专业水准。但在中国,旅游局不会请大学教授编写旅游手册,而如果我写出一本供旅游者阅读的关于北京的书,在大学里很可能传为笑柄。说句玩笑话,如果我当北京市旅游局长,第一件事,便是组织专家,编写出几种适应不同层次读者需求的图文并茂的旅游手册。我相信,这对于提高北京的文化形象以及游客的观赏水平,会大有帮助。

单有大部头的《北京通史》,或以文字为主的《北京名胜古迹辞典》、《北京文化综览》、《古今北京》等,还远远不够。因为以上著作,根本无法携带上路。而若干"生活手册",又未免过于直白,缺乏历史文化韵味。既要实用,又要有文化,将游览与求知结合起来,不是轻而易举的小事。1997 年,北京燕山出版社重印马芷庠编著、张恨水审定的《北平旅行指南》,让你感到惊讶的是,这册半个多世纪前的旧书,还比今天的许多同类读物精彩。没有好东西,再吆喝也没用;而像北京这样历史文化底蕴极为丰厚的城市,没能让初见者"惊艳",实在不应该。之所以再三强调包括四合院在内的"历史文化",而不是摩天大楼等现代建筑,就因为作为至今仍焕发青春的八百年古都,北京独一无二的魅力在此。

日本学者木之内诚曾编著《上海历史导游地图》,借助"地图编"与"解说编",再加上野泽俊敬执笔的"上海近代史年表",将上海一百五十年历史呈现给读者。即便对于像我这样苛刻的专业研究者,此书仍很有用。需要查找晚清以降发生在上海的某重要事件或学校、报馆、医院的所在地,此书能帮你手到擒来。很惭愧,做这种书的,不是中国的学者和出版家;至于对象,也不是历史文化遗迹远比上海丰富的北京。曾在不同场合煽风点火,希望有人步木之内先生后尘,为北京编著"历史导游地图",可惜至今没人接这个茬。

容易与旅游结盟的,一是历史,二是文学。借旅游触摸历史或感悟文学,也算是当代都市人忙里偷闲驰骋想象的一种技巧。见识过"沈从文湘西之旅"或"老舍北京之旅"的计划,再拜读以下两种书籍,说不定能让你茅塞顿开:原来文学竟如此有用!马尔坎·布莱德贝里的《文学地图》在"引言"里称,几乎所有的文学作品都可能成为旅游指南。因此,此书采用活泼生动的笔调,"探索从中世纪以来,存在于作家与作品,还有景物、城市、岛屿、大陆之间,许许多多不同的关连"。"它着眼于文学中显在或隐藏的地图,无论是过去的或现在的,现实的或想象的。作家与作品和地方与景物之间,存在密切的连结,而在小说的脉络或文学的盛世中,我们可以捕捉到某个城镇或地区风貌。"从但丁的世界,乔叟时的英国,一直说到柏林墙倒塌后的世界文学风貌,作者的野心够大的。看看乔伊斯时的都柏林或者众多作家笔下的好莱坞,确实有趣。可更有趣的是,你可以读到"孟买的梦想家",也可观赏"日本:大地之灵的国度",可就是找不到任何关于中国文学的踪迹。这样也好,与其用五千字的篇幅来描述从屈原到鲁迅的中国文学——还得兼及地图的功能,真的不如暂时空缺。不过,你也得承认,这种将文学史与旅游指南结合起来的叙述方式,也算是一种有趣的尝试。

讲 座 丛 书

164

作为乡邦文献的北京

常见这样的报道，说某某人读书很刻苦，居京二三十年，从没去过故宫、颐和园和八达岭长城。自然科学家不好说，但如果是人文学者或社会科学家，不说有问题，也是很遗憾。古人云，读万卷书，行万里路。连本地的名胜古迹你都没兴趣，历史感和想象力必定大打折扣，心灵也容易流于干枯。你可以边走边骂，这地方怎么这么脏这么乱，这样陈列如何没文化没品味；但你还是得走，得看，得游览。一句话，如果长住北京的话，你最好对这座城市的历史与现状感兴趣。用你的眼睛，用你的脚步，用你的学识，用你的趣味，体会这座即将变得面目全非的城市。

不但到处走，到处看，最好还业余做点研究，那样的话，生活会变得更有趣些。有心人满眼都是"风景"，到处都有值得访问的"古迹"——尤其在八百年古都北京，不难流连忘返。大规模的城市建设，已经让很多古迹销声匿迹，或者移步变形。现在看，还有点样子；再过十年，只有到图书馆和博物馆里看展览翻文献了。最多也就在原址树一小块标志牌，供有心人凭吊。在东京时，我走访过芥川龙之介的出生地，那里有一小牌；也查找过小林多喜二被关押并被杀害的警察局，那里也是同样的标记。二者都在高楼底下，马路旁边，如不是特意留心，且有书籍指引，根本看不出来。好不容易在东京大学见到比较像样的"朱舜水终焉之地"碑，周围还算宽敞，可以从容瞻仰；可仔细一看，此碑也是移动过的。不用说，全都是为高楼让路。

诸位还年轻，精力旺盛，周末骑车在北京城到处走走，挺有意思的。当然，最好别张扬，一张扬，有炫耀雅趣的嫌疑，那可就有点"酸"了。缺乏实用价值的"灵幽探胜"，乃古来中国文人的同好,既不值得夸耀,也没必要嘲笑。读有关北京的诗文笔记等,你会发现,希望亲手触摸这座古都的脉搏,明清文人如此,五四以后的新文化人也不例外。而且,这种兴之所至的触摸,很容易一转就变成专深的学问。

清代学者对乡邦文献的搜集整理极为热心,成绩也很大,影响及于整个学术潮流。梁启超在《中国近三百年学术史》第十五章里,提及清人之大规模网罗遗佚,往往从乡邦文献入手。鲁迅《会稽郡故书杂集》之"叙述名德,著其贤能,记注陵泉,传其曲实",走的也是这条路。辑佚只是初步的工作,就像梁启超说的,此举利用世人恭敬乡梓的心理,通过表彰乡邦先贤的人格与学术,以养成一地的风气;而地方风气的养成,甚至可能催生某一学派。这一点,讨论明清学术史的多有涉及。

讲 座 丛 书

现代社会流动性大,籍贯不像以前那么重要,反而是长期居住地,这第二甚至第三故乡,潜移默化地影响着你的生活和思想。周作人《故乡的野菜》中有一段话,很得我心:"我的故乡不止一个,凡我住过的地方都是故乡。故乡对于我并没有什么特别的情分,只因钓于斯游于斯的关系,朝夕会面,遂成相识,正如乡村里的邻舍一样,虽然不是亲戚,别后有时也要想念到他。我在浙东住过十几年,南京东京都住过六年,这都是我的故乡;现在住在北京,于是北京就成了我的家乡了。"周氏时常评述绍兴先贤的撰述,但也有不少谈论北京的文字,如《北京的茶食》、《北平的春天》等。

谈论北京,并非"老北京"的专利。举例来说,邓云乡祖籍虽非北京,但祖上三代已在京居住,撰写《增补燕京乡土记》、《文化古城旧事》,似在情理之中;而编纂《北京史迹风土丛书》、《清代燕都梨园史料》的张次溪,却是地道的广东东莞人。对故乡以及第二故乡的热爱,加上文史方面的浓厚兴趣,很容易诱使你关注北京的史地风物乃至诗词歌赋。等到有一天你发现自己竟然在意北京的一颦一笑，甚至热衷于传播你对这座城市的"独特感受"，那就证明你已经入迷了。对于真正的"北京迷"来说，当然是"英雄不问出处"。

假如你不只是入迷，还想加入关于北京的想象与表述，那么，不妨翻阅前人描述或谈论北京的文字与图像。关于这方面的史料，可参考王灿炽编《北京史地风物书录》，此书收录有关北京的书目 6300 余种，截止日期是 1981 年底。凡编年谱、全集、书目者，都容易失之于泛，这书也不例外。连《大清会典》、《中华民国开国史》都收，那样的话，很容易将"都市研究"混同于中国历史。二十年后的今天，此书依然有用，只是规模应该大为扩展。

真是风水轮流转，十年前撰文感叹关于北京文化史料的丛书大甩买，现在可不一样了，重新包装上市，价格上来了，人气也急剧上升。诸位如果想了解北京的史地风物，北京古籍出版社的这套书比十卷本的《北京通史》有用，也更可读。后者除了专家学者，大概只有图书馆收藏。其实，对于绝大多数读者来说，对某座城市感兴趣，往往是从名胜古迹乃至民俗风情入手。

许多人可能会觉得，只是关心北京，眼界未免有点狭窄。因此，更愿意谈论国家大事乃至世界风云。可我更愿意承认，在家庭与民族之间，还有一个与你日常生活密切相关，深刻地影响着你的喜怒哀乐的"本地风光"。说"乡邦文献"，更多地是为了迁就过去的思路；说"都市研究"，又有点赶时髦的嫌疑；就其强调"本埠新闻"与"在地经验"，挑战传统的一元化知识观和科学观，以及突出包含权利、义务、情感、趣味的"文化认同"而言，我的想法更接近文化人类学意义上的"地方性知识"。

作为历史记忆的北京

感慨"北京学"之不受重视，说的不是新闻界，也不是文学界，而是史学家。"旅游热"里的北京，比如胡同游、风味小吃，比如保护四合院、重建城墙，还有老舍茶馆的曲艺、正乙祠的京剧，以及电视台之推介名胜古迹、出版界的展示"旧京大观"等。诸如此类的活动，当然也有专家介入，但学院派似乎不肯再往前走一步，将其转化为学术课题。

前年江苏美术出版社顺应怀古思潮，推出《老城市》系列，其中《老北京》一册被指责为硬伤多多。出版社很聪明，马上发表公开信，感谢批评，并称正抓紧修订，将与第二、第三部合成三部曲一并推出，相信"会让读者更加满意的"。也就是说，以下的更精彩，更值得选购——由检讨一转而成了广告，实在妙不可言。其实，问题出在作品的定位上："这套书的文字和说明应该是鲜活的、生动有趣的，通俗易懂的而又散文化的。"这似乎是通例，出版社都更愿意将诠释都市的责任交给文学家，而不是史学家。倘若用的是文学笔法，又不肯下史学的功夫，其谈论历史悠久的"老城市"，很容易华而不实。

前两年，在一次国际学术会议上，我提到北京作为城市研究的巨大潜力。西安作为古都，上海作为新城，都有其独特的魅力，可北京横跨古今，更值得深入研究。1980 年代以来，美国加州大学等学术机构通力合作，使得"上海"成为欧美汉学界的热门话题。上海开埠百余年，其"西学东渐"的足迹十分明显，历史线索清晰，理论框架也比较容易建立。可对于中国的现代化进程来说，上海其实是个特例。相对来说，作为古老中国的帝都，加上又是内陆城市，北京的转型更为痛苦，其发展的路径也更加曲折，很难套用现成的理论。读读西方关于城市

讲座丛书

研究的著述，你会感到很受启发，可用来研究北京，又总有些不太适用——在我看来，这正是北京研究的潜力所在。"北京学"必须自己摸索，因而更有理论创新的余地——这里所说的，乃理想的境界。

我所关注的"北京学"，不是古已有之的南北学术歧异，或者二十世纪蔚为大观的京派海派之争；也不是柯文《在中国发现历史》所描述的美国学界 1970 年代以后崛起的"中国中心取向"的第二个特点："以区域、省份或是地方为中心"展开考察与论述。关于京派小说的艺术成就，或中国现代化的区域研究，目前在国内外已有不少研究成果。我更关心的是作为"都市想象"的北京。

都市研究可以注重历史地理，比如侯仁之先生的众多研究成果，也可以侧重城市规划与建筑设计，社会与人口变迁等。侯先生大名鼎鼎，不用我多说，这里想推荐的是两部相对年轻学者的著述，一是史明正的《走向近代化的北京城——城市建设与社会变革》，讨论二十世纪前三十年北京的街道铺设、排污管道、供水照明交通等市政建设方面的问题；一是韩光辉的《北京历史人口地理》，讨论从辽代到二十世纪四十年代北京的户籍制度、人口规模、人口增长过程与人口控制等。此类专业著述目前数量不多，据说北京出版社有志于此，准备以"北京学书系"的形式，陆续推出文史方面的撰述，走出纯粹的文献整理与怀古感慨。

北京是个有历史、有个性、有魅力的古老城市，正迅速地恢复青春与活力，总有一天会成为像伦敦、巴黎、纽约、东京那样的国际性大都市。观察其转型与崛起，是个很有趣味的课题。施坚雅在《中华帝国晚期的城市》里说，中世纪的长安、开封、杭州，都曾是世界最大城市，南京和北京也都有此光荣。"南京在明太祖改建后的十年左右，赶上开罗成为世界最大城市，至十五世纪某一时期为北京所接替。除了十七世纪短时间内亚格拉、君士坦丁堡和德里曾向它的居首地位挑战外，北京一直是世界最大的城市，直到 1800 年前后才被伦敦超过。"城市不是越大越好，私心希望北京成为像伦敦、巴黎那样适合于人类居住而又能吸引大量游客的"历史文化名城"——首先是对于本地民众的精神与物质需求的满足程度，而后才是对于投资者与观光客的吸引力。施坚雅此书前年 3 月才由中华书局出版中译本，整整迟到了二十年。可这也有好处，那就是我们有了观察的距离与评判的能力，对其热衷于使用计量方法，突出城市研究的社会性与经济性，而相对忽略城市的人文性，会有所反省。

近年翻译出版的西方关于城市研究的著作，主要集中在建筑方面，比如我手头有的意大利学者 L·贝纳沃罗的《世界城市史》，以及美国学者凯文·林奇的《城市意象》和《城市形态》。建筑作为凝固的历史，可以给我们提供很多有用的信息。解读古老的教堂（宗教）、宫殿（政治）、城堡（军事）、市场（经济）、学校（文化），以及连接外部世界的港口与桥梁，确实能让我们贴近历史；可倘若没有"旧时王谢堂前燕，飞入寻常百姓家"这样物是人非的凄婉故事，单是一堆石头，无法激起读者强烈的好奇心与想象力。也许是出于私心，我希望将建筑的空间想象、地理的历史溯源，与文学创作或故事传说结合起来，借以呈现更具灵性、更为错综复杂的城市景观。若陈学霖的《刘伯温与哪吒城——北京建城的传说》之以史家学养处理一则表面看来荒诞无稽的传说，将民俗学、人类学、社会学和宗教学等眼光重叠起来，虽然结论"传说所见大小传统的交融"并没多大震撼力，但其选材之巧妙，以及步步为营的论证，还是很令人愉悦。

讲座丛书

作为文学想象的北京

讨论北京人口增长的曲线,或者供水及排污系统的设计,非我所长,估计也不是诸位的兴趣所在。我的兴趣是,像本雅明所描述的"游手好闲者"那样,在拥挤的人群中漫步,观察这座城市及其所代表的意识形态,在平淡的日常生活中保留想象与质疑的权利。偶尔有空,则品鉴历史,收藏记忆,发掘传统,体验精神,甚至做梦、写诗。

略微了解北京作为都市研究的各个侧面,最后还是希望落实在"历史记忆"与"文学想象"上。其实,历史记忆很大程度必须依赖文学作品,比如,谈论早期北京史的,多喜欢引用荆轲的"风萧萧兮易水寒,壮士一去兮不复还",或者陈子昂的"前不见古人,后不见来者,念天地之悠悠,独怆然而涕下"。对于非专业的读者来说,荆、陈二诗的知名度与影响力,一点也不比曾发生在这片土地上的众多波澜壮阔的历史事件弱。因此,阅读历代关于北京的诗文,乃是借文学想象建构都市历史的一种有效手段。

清人编《人海诗区》,分都城、宫殿、苑囿、驿馆、园亭、坊市、寺观、岁时、风俗等十六类,收录从南北朝到清初的诗作近两千首,给今人的阅读提供了很大方便。1940 年著名藏书家傅增湘见到此书稿后,撰有一跋,称"余谓录燕京之诗,宜以燕地建都之时为断";"若远溯晋唐,似于名实未符"。我同意这一见解,做历史地理的考辩,可以而且必须从燕国说起:但如果讨论都市想象,则高适、苏辙、汪元量等,其实都帮不上什么忙。因为,直到 1153 年金中都建成,海陵王下诏迁都,北京方才正式成为一代王朝的首都,并一直沿续到元、明、清三代。1403 年明成祖朱棣改北平为北京,此后作为都城的北京发展神速，很快取代南京而成为其时中国乃至世界上首屈一指的大都市。

我关注的是成为世界性大都市以后的北京之"文学形象"。原因是，讨论都市的文学想象，只凭几首诗是远远不够的。我们能找到金代的若干诗文以及寺院遗址，也知道关汉卿等杂剧名家生活在元大都，但此类资料甚少，很难借以复原其时的都市生活场景。而十五世纪起，情况大为改观，诗文、笔记、史传，相关文字及实物资料都很丰富。从公安三袁的旅京诗文、刘侗等的《帝京景物略》，一直到二十世纪的《骆驼祥子》、《春明外史》、《北京人》、《茶馆》等小说戏剧，以及周作人、萧乾、邓云乡关于北京的散文随笔，乃至1980年代后重新崛起的京派文学，关于北京的文学表述几乎俯拾即是。成为国都的八百年间，北京留存下大量文学及文化史料，对于今人驰骋想象，是个绝好的宝库。这一点，正是北京之所以不同于香港、上海、广州的地方。作为一座城市，地层过于复杂，义蕴特别深厚，随便挖一锄头都可能"破坏文物"，容易养成守旧心理，不利于时下流行的"与世界接轨"；但从长远来看，此乃真正意义上的"无形资产"，值得北京人格外珍惜。

了解都市研究的一般状态，进入我们的正题"文学北京"，你会发现许多有趣的话题。比如王士禛的游走书肆，宣南诗社的诗酒唱和；西郊园林的江南想象，厂甸的新春百态；沙滩红楼大学生们的新鲜记忆，来今雨轩里骚人墨客的悠然自得；还有1930年代的时尚话题"北平一顾"，1960年代唱遍大江南北的红色歌曲"我爱北京天安门"……所有这些，都在茶馆里的缕缕幽香中，慢慢升腾。

比起学者来，文学家的创作，无疑更受周围环境的影响。对于文学家来说，所谓"写作环境"，绝不仅仅是书房外的风景，或深巷里的市声，更包括其踯躅街头、遥望城楼、混迹市井

讲座丛书

等生活阅历。几年前在布拉格游览，见卡夫卡纪念馆里出售《卡夫卡与布拉格》，以为是旅游介绍，后才发现是很严肃的学术专著。我相信，极少有游客对四五百页的专业著述感兴趣，回过味来，反而钦佩起纪念馆的眼光。去年在伦敦参观狄更斯纪念馆，更是让我惊讶不已，那里同时出售三种出自不同作者之手的《狄更斯与伦敦》。这才明白，探讨作家与其生存的城市之关系，原来可以如此"雅俗共赏"。在汉学研究范围内，我只记得前年在东京开过一次"中国作家的东京体验"专题研讨会，会后还出版过集子。

其实，讨论文学与城市的关系，除了作家的生活体验，还有思潮的崛起、文体的变异、作品生产及传播机制的形成、拟想读者的制约等，所有这些，美国加州大学出版社 1998 年出版的 Richard Lehan 所著《文学中的城市》，均多少有所涉及。

该书将"文学想象"作为城市存在的利弊得失之"编年史"来阅读，从"启蒙时代的伦敦"，一直说到"后现代的洛杉矶"，既涉及物质城市的发展，更注重文学表现的变迁。作为现代都市人，我们在阅读关于城市生活的文学作品中成长；正是这一对城市历史的追忆或反省，使我们明白，城市的历史和文学文本的历史，二者之间不可分割。作者讨论启蒙运动以降西方文学史上的城市，侧重小说中的人物及其寓意的分析，也关注生产方式的改变对于文学潮流与文学形式的深刻影响。但因太受"文学"二字拘牵，毫不涉及对于都市想象来说同样至关重要的绘画、建筑、新闻、出版、戏剧等（即便作为参照系），其笔下的城市形象未免太"单面向"了。另外，相对于精彩的城市功能抽象分析，"文学城市"伦敦、巴黎、纽约等的独特魅力没能得到充分的展现，实在有点可惜。

汉语世界里关于都市与文学的著作，我最欣赏的，当属赵园的《北京：城与人》和李欧梵的《上海摩登——一种新都市文化在中国,1930—1945》。不仅仅是北京、上海这两座城市的魅力,更由于两位作者的独具慧眼。前者1991年便由上海人民出版社印行,只是当初读者寥寥,且常被误归入地理或建筑类;这次与《上海摩登》一并推出,当能引起广泛的阅读。赵书谈论的,基本上还只限于城市文学;李书视野更为开阔,以都市文化为题,涉及百货大楼、咖啡厅、公园、电影院等有形的建筑,以及由此带来的文人生活方式及审美趣味的改变,更讨论印刷文化与现代性建构、影像与文学、身体与城市等一系列极为有趣而复杂的问题。

作为研究方法的北京

讲 座 丛 书

借用城市考古的眼光,谈论"文学北京",乃是基于沟通时间与空间、物质文化与精神文化、口头传说与书面记载、历史地理与文学想象,在某种程度上重现八百年古都风韵的设想。不仅于此,关注无数文人雅士用文字垒起来的都市风情,在我,主要还是希望借此重构中国文学史图景。

谈论中国的"都市文学",学界一般倾向于从二十世纪说起;可假如着眼点是"文学中的都市",则又另当别论。在《〈十二个〉后记》中,鲁迅称俄国诗人勃洛克为"现代都会诗人的第一人":"他之为都会诗人的特色,是在用空想,即诗底幻想的眼,照见都会中的日常生活,将那朦胧的印象,加以象征化。将精气吹入所描写的事象里,使它苏生;也就是在庸俗的生活,尘嚣的市街中,发见诗歌底要素。"至于中国,鲁迅说得很肯定:"中国没有这样的都会诗人。我们有馆阁诗人,山林诗人,花月诗人……;没有都会诗人。"

周作人或许不这么看,因其在《〈陶庵梦忆〉序》中,已经给张岱奉上"都市诗人"的桂冠:"张宗子是个都市诗人,他所注意的是人事而非天然,山水不过是他所写的生活的背景。"对鲜衣美食、华灯烟火、梨园鼓吹、花鸟古董等民俗文化和都市风情有特殊兴趣的张岱,确实与传统中国文人对于山水田园的夸耀大异其趣。假如我们不将都市诗人与现代主义直接挂钩,那么,周作人的意见未尝没有道理。

再进一步推论,考古学意义上的都市,几乎与文明同步;文学家对于都市的想象,当然也应十分久远。为何历史学家与经济学家所津津乐道的都市,在文学史家那里基本缺席?并非古来中国文人缺乏对于都市的想象,而是此等文字一般不被看好。

一部中国文学史,就其对于现实人生的态度而言,约略可分为三种倾向:第一,感时与忧国,以屈原、杜甫、鲁迅为代表,倾向于儒家理想,作品注重政治寄托,以宫阙或乡村为主要场景;第二,隐逸与超越,以陶潜、王维、沈从文为代表,欣赏道家观念,作品突出抒情与写意,以山水或田园为主要场景;第三,现世与欲望,以柳永、张岱、老舍为代表,兼及诸子百家,突出民俗与趣味,以市井或街巷为主要场景。如此三分,只求大意,很难完全坐实,更不代表对具体作家的褒贬。如果暂时接受此三分天下的假设,你很容易发现,前两者所得到的掌声,远远超过第三者。

一直到二十世纪,现当代文学史上的诸多大作家,乃至近在眼前的第五代电影导演,对乡村生活的理解与诠释,都远远超过其都市想象。这里有中国城市化进程相对滞后的缘故,但更缘于意识形态的引导。很长时间里,基于对商人阶层以及市井百姓的蔑视,谈论古代城市时,主要关注其政治和文化功能,而相对忽略了超越职业、地位乃至种族与性别的都市里的日常生活。历史上中国的诸多城市如所谓"六大古都",还有扬州、苏州等都曾引领风骚,并留下数量相当可观的诗文笔记等。可惜文学史家很少从都市文学想象角度立伦，而更多地关注读书人的怀才不遇或仕途得志。

都市里确实存在着宫殿或衙门，读书人的上京或入城，确实也主要是为了追求功名。可这不等于五彩纷呈的都市生活，可以缩写为"仕途"二字。明人屠隆《在京与友人书》中极力丑化"风起飞尘满衢陌，归来下马，两鼻孔黑如烟突"的燕京，对比没有官场羁绊的东南佳山水，感叹江村沙上散步"绝胜长安骑马冲泥也"。这里有写实——比如南人不喜欢北地生活；但更多的是抒怀——表达文人的孤傲与清高。历代文人对于都城的"厌恶"有真有假，能有机会"致君尧舜上，再使风俗淳"，而心甘情愿地选择"采菊东篱下，悠然见南山"的，为数不是很多。更吸引人的，其实还是陆游所描述的"小楼一夜听春雨，深巷明朝卖杏花"。晚清以前，中国农村与城市的生活质量相差不大，特别是战乱年代，乡村的悠闲与安宁更值得怀念。但总的说来，都市经济及文化生活的繁荣，对于读书人来说，还是很有吸引力的。"大隐隐于市"，住在都市而怀想田园风光，那才是最佳选择。基于佛道二家空寂与超越的生活理想，再加上山水田园诗的审美趣味，还有不无反抗意味的隐士传统，这三者融合，决定了历代中国文人虽然不乏久居都市者，一旦落笔为文，还是倾向于扬乡村而抑都市。

朝野对举的论述框架，既可解读为官府与民间的分野，也隐含着城市与乡村、市井与文人的对立。引进都市生活场景，很可能会使原先的理论设计复杂化。比如，唐人的曲江游宴，宋人的瓦舍说书，明人的秦淮风月，清人的宣南唱和，都很难简化为纯粹的政治符号。

同样远离作为审美理想的"山林气"，官场的污浊与市井的清新，几不可同日而语。随着学界的视野及趣味逐渐从士大夫转移到庶民，都市生活的丰富多彩会日益吸引我们；对中国

讲座丛书

文学的想象,也可能因此而发生变化。以都市气象来解读汉赋的大气磅礴,以市井风情来诠释宋词之别是一家,以市民心态来评说明人小说的享乐与放纵,应该不算是领异标新。除了关注城市生活中的文人情怀,比如《桃花扇》里风月无边的秦淮河,或者《儒林外史》之以隐居乡村的王冕开篇,以市井四奇人落幕;更希望凸显作为主角的都市,以及其催生新体式、新风格、新潮流的巨大魔力。

这方面的著作,我能推荐的,一是日本学者石田干之助的《长安之春》,一是已译成汉语的法国学者谢和耐的《蒙元入侵前夜的中国日常生活》。前者借助唐诗及唐人文章,描述唐代长安春天百花斗艳、令人心旷神怡的景象;后者则以《梦粱录》、《武林旧事》、《都城纪胜》等笔记为主要素材,构建南宋都城杭州的日常生活。对于历史学家来说,帝都北京固然好看,市井北京或许更值得认真开掘。在这个意义上,上述二书不无参考价值。

假如有朝一日,我们对历代主要都市的日常生活场景"了如指掌",那时,再来讨论诗人的聚会与唱和、文学的生产与知识的传播,以及经典的确立与趣味的转移,我相信会有不同于往昔的结论。起码关于中国文学史的叙述,不会像以前那样过于注重乡村与田园,而蔑视都城与市井。

(演讲时间:2002 年 4 月 13 日)

金开诚

中国书法艺术与传统文化

　　金开诚，1932年生于江苏无锡市，1955年毕业于北京大学中文系。长期在北大任教。现为全国政协常委，九三学社中央副主席；北京大学教授，博士生导师，中央社会主义学院、中华文化学院副院长。著作有《文艺心理概论》、《屈原辞研究》、《谈艺综录》、《学术文化随笔》、《文化古今谈》等二十多种。

中国书法艺术是在中华大地上土生土长，地地道道的民族传统艺术。在其生成和发展的过程中，与中国传统文化的关系始终难解难分。当然，中国传统文化对古往今来中国的人文、历史乃至一切事物都有深刻的渗透与影响，但那影响毕竟在逐渐淡化。唯独书法艺术的情况不一样，它至今仍是从头至尾、从里到外，始终保存着地道的中国作风与中国气派，是中国传统文化的精粹体现和辉煌标本。因此，学习中国书法并进而从事书法艺术创作的人，必须要有较为深厚的传统文化修养，也要对传统文化有比较深刻而全面的认识，这样才能切切实实地感受、理解、把握、再现中国书法艺术的精髓和奥妙。今天我讲两个问题：先讲传统文化对书法艺术的生成发展给了些什么；反过来再讲书法艺术对传统文化回报了什么。

现在先讲第一个问题。

传统文化为书法艺术提供的东西，可分为"硬件"与"软件"两方面。

"硬件"的第一项就是汉字。汉字是中国传统文化中最伟大的创造之一，它对于中国书法艺术的生成和发展来说，实在是太重要了。

为了说明这个重要性，首先必须明白中国书法艺术的性质，最好要下一个明确的定义。我在1972年给北大中文系的学员讲书法艺术时提出了一个定义，即"中国书法艺术是以汉字为素材的造形艺术"。又作了一点具体解释，即"中国书法艺术是对汉字进行艺术加工，使之成为美学形象的艺术"。在这个定义中，"素材"这两个字还要作一点解释，它包含材料与题材两重含义,还是有别于其他艺术的。例如人像石雕艺术,是用石头来雕塑人像的艺术,那么,它用的材料就是石头,而用的题材则是人物。书法艺术与此不同,它的材料用的是汉字,它的题材仍然是汉字。对汉字加工创造而成的艺术形象,仍然是汉字的形象,而不是别的形象。当然这艺术形象中可能包含极为丰富的意、味、情、性,如同人物雕塑或山水画也可能包含丰富的意味,但它们仍然是人物或山水的形象。

汉字既是材料,又是题材,可见它与中国书法艺术的关系是何等密切。既然如此,学习书法首先应该对汉字有些研究,至少要能准确地识字,不能写错别字,更不能是文盲:文盲完全可能成为别的艺术家,却绝对成不了书法艺术家。有人认为书法只是线条的艺术,错别字也有线条,所以写错了也没关系。这种想法不对。书法即使仅仅是线条的艺术,那至少也是汉字的线条艺术,不能把汉字写错。犹如画人物画个美人,你不能把她画成瞎了眼睛掉了牙,因为美人总是"明眸皓齿",古今中外的美人,没听说哪个是瞎了眼睛掉了牙的。

汉字在其长期流传中,与史事、人文乃至自然风物等等发生了复杂而丰富的联系;于是在人们心目中,便觉得似乎有某种意味凝结在文字符号上面。其实这是人的心理对文字符号与其"所指"之间的关系有了惯性的反映(心理学上称为"暂时神经联系")。简单地说,就是你看到某个字或词,会产生某些联想或想象,甚至有某种情思的轻微波动。在语言学上,这就是"语感"的一种表现,"语感"包括语言、文学两种符号而言;我们现在讲的是汉字,所以不妨称为"字感"。例如"烟柳画桥"四个字,世界各国都有柳和桥,但只有中国人说"烟柳画桥",可见有独特的民族文化的凝注。中国人一看到这四个字,便产生诗情画意的联想,感受到隽永的美学意味。假如把"烟"写成"淹"或"腌",把"柳"写成缺了一条腿的"柳",把"画桥"写成

讲座丛书

"划乔"，那么这四个字给人的美学感受和情味感受便荡然无存了，甚至会产生厌恶之感。又如福、芙、伏、符是同音字，富、复、付、副也是同音字。每个字都有特定的语义和语感，用错了便不是那个意思，也没有那种联想作用和情感效应了。例如新年里许多人家在大门上贴个"福"字，有的还特意倒贴；你若给他写成"伏"或"符"，他肯定不贴，因为根本没了求福的意思。我担任许多副职，讨厌别人把"副"写成"付"，比如说"付院长"，既是把"院长"之位"付"出去了，还当什么？

我们应该知道，书法艺术作品乃是个复合的载体，它所承载的多种信息应该相互和谐融合，彼此生发促进，共同作用于审美的感官和思维，才能强化审美的感受，使之深刻和丰富。假如书法艺术中加进了"噪音"，即破坏和谐的错误信息，那当然就会严重影响审美的效果。

把汉字作为书法素材来运用，还有一个极为重要的问题必须解决。那就是汉字究竟是不是象形字。许多人认为，中国书法之所以能成为一种艺术，主要因为汉字是"象形字"，本身就有形象性。这种说法是仅凭错觉说话，很不符合事实。汉字在篆书的阶段（包括甲骨文、钟鼎文、大篆、小篆），还可以说有部分象形字，它象形也只是古人所说的六种构字法（六书）之一，字数很少。因为生活中的大部分事物、运动、态势与关系根本无法用象形来表现。例如红黄蓝白黑是颜色，宫商角徵羽是声音，用笔划线条来"象形"？喜怒哀乐是情感，甜酸苦辣是味道，也无法用线条来"象形"。还有像天时地理、时间空间、春夏秋冬、寒暑温凉、婚丧嫁娶、生老病死、亲疏远近、动静安危、进退顺逆、高低纵横、难易成败、荣辱兴衰、吉凶祸福、是非得失、美丑善恶、贤愚优劣、富贵贫贱、聚散离合、强弱软硬、长短粗细、仁义道德、知识理论，等等，等等，都难用"象形"来表现。即使能够表现，古人也不大使用这种方法，所以，就连桌椅板凳这么具体的实物,古人也宁肯多用"形声字"来表现。尤其是大量表现语法关系的虚字,如之乎者也、因为所以、虽然但是之类,更加不可能象形,因为它无形可象。可见"象形字"的表现范围很小,字数也极少。文字作为一个完整的符号系统,是不可能用"象形"的方法来制定的。

再从汉字字体的变化与书法艺术的发展来看,更可以看出整个趋势是"象形"逐渐衰减以至于无。从篆书到隶书,"象形"出现了根本性的衰减。本来在篆书中,如"马"、"牛"、"羊"、"鸟"、"虫"、"鱼"等字都是"象形字",可是在隶书中就基本上不象形了。隶书中的八分书,都有装饰性很强的一笔波挑,这清楚说明了书者心目中根本没有象形的考虑(因为世界上绝大多数事物形象并没有波挑这个特征);可见为了求美,不是强化象形,而是突破象形。那么,从篆书到隶书,书法艺术是发展了,还是衰落了呢?可以说得到了最大的、最有根本性的发展。因为从八分书的各大名碑开始,书法艺术才成为高度个性化的艺术,表现为多种多样的风格;同时这也恰恰说明书法作品已成为高度自觉的艺术创造。就是说不仅仅为实用的目的而力求写得好看,也为了成为艺术品而精心创造。从隶书发展到魏碑、唐碑的楷书,象形的因素更加淡化,可以说几乎没有了。至于面对行书、草书,还要说汉字象形,那就是完全不顾事实的瞎说了。所以,汉字和书法发展的整个过程,便是象形的因素逐步衰减以至于无,而书法艺术却是不断发展创新的过程。那么,如何能说书法成为艺术乃是由于"汉字象形"呢?

这个问题为什么值得详加辨析?因为汉字如果象形,那么书法艺术的发展与创新便应该在象形的基础上进行;反之,汉字如果不象形,那么书法艺术的发展与创新就完全不应该考虑象形这个因素。事实上,由于错误地认为汉字具有象形性,从而在书法艺术上走向邪路的现象的确曾经出现过。例如十

讲座丛书

多年前曾一度流行的所谓"画字"，便是书法艺术走上邪路、弯路的表现。所谓"画字"便是基于"汉字象形"之说，力图把书法变成字画，即写个"山"字像座山，写个"水"字像条水，写个"道"字像条路，写个"云"字像朵云，如此等等。我在"画字"刚刚出现的时候即在文章中断言，这种做法是绝对没有艺术前途的。因为"画字"只能写一两个字，既像书法又像画。假如字数稍多，即使每个都"象形"，那么整个作品就像一块块小画，还有什么艺术的完整性可言？再进一步说，假如这些小块画果然互相联系，成为一幅大画，那就成了绘画创作，而书法艺术却被消灭了。"画字"在后来的几年中没有得到发展，现在已经不多见；所以我认为当初的预言还是说对了。

汉字是传统文化留给我们的宝贵财富，我们搞书法的，特别应当热爱它，感谢它。它给了我们优良的种子，我们才能种出嘉树、鲜花、美果和高质量的粮食；它给了我们鸡鸭鱼肉、生猛海鲜，我们才发展出"四大菜系"，并做出"满汉全席"；它给了我们一幢建筑物，我们才可能把它装修成五星级的宾馆。人们学会认字、写字，很不容易，这是我们的本领和财富，必须好好使用。至少有志于追求书法艺术的人，就更要严肃认真、万分珍惜地对待汉字，千万不可以胡乱糟蹋。

附带还要说一点。汉字虽然不象形，但因为占有一定的面积和比较复杂的线条与结构，不像拉丁语系的文字都是横条形，线条结构也比较简单，所以汉字本身也给人以较多的形象感。汉字经过千变万化的加工而成为书法艺术，它的形象感更大大加强；又因为充分利用了凝结在汉字上面的历史文化淀积，从而使书法形象所有的启发联想和想象的作用也大大增强。这都是书法艺术的作用，而不是所谓"汉字象形"的作用。书法创作为追求象形，那么它就只是画得简单而拙劣的物象；假如它完全不考虑象形，而致力于创造书法特有的艺术形象，那么它所给人的形象感就既独特又丰富，还使人产生特别活跃而悠远的联想。这就真正体现了《老子》所说的"无为而无不为"。"无为"就是不追求象形，从而在形象上就不受限制，通过观赏者的想象而产生既丰厚又多变的形象感。

传统文化为书法艺术提供的第二个"硬件"，是中国传统的文学艺术。

文学艺术给书法艺术提供的好处有三项：一，给书法创作者以思想的艺术的滋养，提高其知识文化的水平和审美的情趣与能力。二，为书法创作提供极其丰富多彩的艺术形象，使书法家得到启示，吸取形象，并巧妙地融入书法创作。张旭观公孙大娘舞剑器而有悟于书法，便是最好的一例。三，大量的诗词作品与警语格言往往与书法艺术互为载体，从而在审美感染中相互生发，在艺术上相得益彰，起到了 1＋1＞2 的神奇作用（有人主张写无意义单字群体，非常不智；又因不合欣赏的传统与习惯，会严重削弱审美效果）。

传统文化为书法艺术提供的第三个"硬件"，是传统文化中种种特有的器物，如甲骨钟鼎、竹简帛书、碑版铭志、匾对条幅等等。这些都是中国书法艺术特有的表现空间，犹如演员的舞台。它们在书法艺术的发展和流传中起了不可替代的巨大作用。

传统文化为书法艺术提供的第四个"硬件"，就是"文房四宝"纸墨笔砚，这是中国传统文化中特有的物质创造。中国书法正是借助了这些大有特殊性的创造物，才能创作出在艺术上非常独特的书法作品。

下面谈传统文化为书法艺术提供了什么"软件"。所谓"软件"就是指思想精神方面的滋养与影响。

几年以前，我在北大开设《中国传统文化概论》选修课。在备课中，我感到困难的是中国传统文化的内容太丰富了，如何

讲座丛书

能在一个学期中讲完，而又有较为完整的概括？经过反复思考，终于决定以四个重要思想为纲，来概括整个中国传统文化。这四个思想便是：一，作为基本哲理的"阴阳五行"思想；二，关于人与自然关系的"天人相应"思想；三，关于处理社会人事的"中庸中和"思想；四，关于如何对待自身的"克己修身"思想。我认为这四个思想是以人为中心和本位，扩展到与人有关系的方方面面，所以具有概括性；而这四个思想又的确是传统文化中最为重要、最有影响的思想。现在要讲传统文化对书法艺术的影响，我想仍然可以抓住这四个思想来讲。

第一个思想是"阴阳五行"。"阴阳"思想表现了极为丰富和生动的朴素辩证法。这个思想渗透到中国文化的各个领域，书法也不例外，由此就派生了中国书法的艺术辩证法的各个范畴，如黑白、虚实、大小、粗细、浓淡、枯润、方圆、奇正、向背、顺逆、呼应、刚柔、疏密、巧拙等等，要求创作者都能处理好，使阴阳互动，生生不息，并达到和谐。正因为对这些辩证关系作了千变万化、精妙准确的处理，书法创作中才出现了千姿百态、生动美妙、意蕴深厚的艺术形象，使简单的白纸黑字竟成为精深的艺术。比如以黑白为例，传统的书法理论讲"计白当黑"，"黑处是字，白处也是字"，这是阴阳相生，相反相成，是艺术辩证法的生动表现；但关键在于黑与白的处理要恰当，不可把一种因素绝对化；假如因为"白处也是字"而留的空白特别多，那就不能与"黑处"和谐相生。反之，"黑处"太满太密也不行。又如传统理论说"疏处可以走马，密处不使透风"，理解这话的关键也在于疏密处理要恰当，而不能作机械的解释，总之要相互促进，恰到好处。

"五行"本指金木水火土五种物质，古人认为客观世界统一于这五种物质，这是朴素的唯物主义思想。其精深之处主要有两点：一是"五行"由物质发展到物性，再由物性发展到符

187

号，于是世上的万事万物便都纳入了"五行"系统。如"五色"（白为金，青为木，黑为水，红为火，黄为土），"五方"（东为木，南为火，西为金，北为水，中央为土）、还有"五音"（宫商角徵羽）、"五味"（酸甜苦辣咸）、"五畜"、"五谷"等等。"四季"只有四个，但也归入"五行"（春为木，夏为火，长夏为土，秋为金，冬为水）。天干有十个，也归入"五行"（甲乙为木，丙丁为火，戊己为土，庚辛为金，壬癸为水）。地支有十二个，也归入"五行"（丑辰未戌为土，亥子为水，寅卯为木，巳午为火，申酉为金）。总而言之，万事万物都纳入"五行"，"五行"成为万事万物的符号，具有极大的广度。

二是"五行"之间有生克关系，这就使"五行论"更加精深了。"生"指生成、助长、促进以及使之受益等等，"克"则是指消灭、克制、约束、挫折以及使之受害等等。"生"与"克"的序列是：金生水、水生木、木生火、火生土、土生金；金克木、木克土、土克水、水克火、火克金。这两种关系说明，世界上每一种事物或力量都要靠其他的事物或力量来生成或助长；每一种事物或力量又必然受到其他事物或力量的克制和消灭。所以世界上任何事物与力量都不能独立存在，也不可能凌驾一切事物与力量之上而居于绝对的地位。

这种思想本来已经很深刻、很先进，然而还不止于此，还有反克、反生与生克的转化，更加深刻而发人深思。反克：如金克木，金本身也受到磨损；而且金如克木太过了，就能导致木生火，而火却能反过来克金。还有，金克木，木打不过金，却可以克土，克了土便不能生金。反生：如水生木，木太旺了就生火，而火恰恰是水的克制对象。还有，水生木，木太旺了，为所欲为，胡乱去克土，土就反过来去克水，断了生木之源。生克转化：例如火克金，这本是克制，但反而使金受到冶炼，更加精粹；或受到熔铸，成为有用的器物。金克木也是这样，世上的木

讲座丛书

如不受金克，就只能用来烧火；受了金克，却成为种种精美的木器。土克水也是这样，江河湖池，因为受到岸与堤的阻挡，才能成为有用的航道、景观，乃至可以发电、养殖。这些都是克之反以生之，是克转化为生的生动表现。同样，生也能转化为克，如水生木，如果无节制，发大水，反而将木淹死。木能生火，但炉子里的木太多了，火反而不能烧起来。

总括以上情况，可知"五行"的相互作用应该有序有度，人善于掌握这种序与度，便叫做"五行制衡"。若能做到"调理阴阳，制衡五行"，那就必然从胜利走向胜利，始终立于不败之地了。"阴阳五行"之说给人的教育太大了，人们必须认真学习和深思。美国搞霸权主义，想称霸世界，这必然成为衰落和灭亡的开始。中国人遵照邓小平同志的教导，实行"韬光养晦"，充分体现了中华民族的深刻智慧，必然能积聚力量，不断发展。

说了半天，究竟"五行"与书法有什么关系？关系就在于根据"五行制衡"的道理，处理好书法创作中各种因素的关系。例如书法家从整体上说，有五种素质最重要，即品性、学识、智慧、功夫、情趣（品学智功情），五种因素要和谐相生，平衡发展。假如过分强调一种因素，如智慧（悟性、模仿、想象等能力），使其他因素受到压制，就反而会走上邪路。再如墨分五色"渴润浓淡白"，笔法可概括为五形"方圆中（锋）偏（锋）抖（笔）"，结体概括为五势"纵横正侧变"，这恰恰也都是五个字，虽然不必要用金木水火土来硬套，但"五行"既成了符号（等于XY），当然也可以用来指代"五色"、"五形"、"五势"。总之是为了吸取"五行制衡"的道理，尽力把各种因素处理好，使之有序有度。

第二个思想是"天人相应"，或者叫"天人统一"。意思是"天体"与"人体"相互感应，"天道"与"人道"相互一致而且彼此反映（"道"指道理与运动法则）。今天来诠释这个思想，当然要去除神秘的成分,吸取合理的内核。"天"应该是指自然界,人类社会是在自然中生成的,而且也是在自然中发展的,因此,自然与社会必然相互影响。现在人们重视环境保护、生态平衡,是因为越来越发现对自然的破坏必然导致对人类生活、人类社会的破坏。因此越来越认为古代"天人相应"的思想是很有道理的。

"天人相应"的思想在古代有很大渗透作用,在各个领域中起作用。如政治、经济(农业)、法律、军事等等,医药和武术更是基本上根据"天人相应"来建立理论。在文学艺术中,渗透也很深,主要表现为"通自然,得天趣",要求"天真馨露",即充分表现真性真情,反对矫揉造作,甚至要求"不落斧凿痕迹",像"鬼匠神工"、"巧夺天工"这种赞语,就是要求人为的艺术达到"天造地设"那种自然的程度。在书法艺术中,王羲之《兰亭序》和颜真卿《祭侄文稿》分别被评为天下第一、第二行书作品,人们特别赞赏其"天真馨露",即是真性情的自然表现。反之,矫揉造作、哗众取宠的书作则从来受到讥议,甚至论及品格。

"通自然,得天趣",流露真性情,这本是书法创作中很高的境界,理应努力追求;然而现在却导致了一个极大的误区。那就是有些人认为,既然要自然不要做作,要表现真的个性、真的感情,那就完全不必要练功夫;只要完全放松,随意乱写,那真性情便会反映到白纸黑字之中,得到既充分又自然的表现。这种思想的错误,就在于不知道自己究竟要干什么。你所要干的是艺术,这是前提;个性与情感是在艺术中得到表现,而不是别的表现。若说随意涂抹便能表现性情,那么阿Q在他的判决书下画了个圈,代替签名,这也有性情的表现,却不会有人觉得美,也无必要和可能加以欣赏,更不会有人出钱购买。情与性是人人都有的,却与别人毫不相干,别人有何必要

讲座丛书

来欣赏你的脾气发作,情感宣泄?流氓互斗,泼妇骂街,都充分表现了他们的情与性,请问有谁觉得美好而加以欣赏?作为书法家,首先向社会奉献的是书法艺术,而这艺术中又表现着可爱或可敬的性,美好或崇高的情,就像《兰亭序》和《祭侄文稿》那样,这才有很高的美学价值和社会价值。

书法家既然从事艺术创造,当然要练功夫和本领,开头非常拘束,当然难以自由自在地表现个性与情感。等到功夫练深了,本领很高了,他人的东西能为自己所用了,真正做到意在笔先、心手相应了,那就能使情与性在作品中得到自然而充分的流露,达到"天人相应"的境界。中医学说的人体与"天"相应,这是一种"自然"的关系;而在一切艺术创造中达到"天人相应"的境界,却只能是"自为"的结果。因为大自然中本来没有艺术创造,艺术创造是人为的;人为而要达到"天人相应",这就必须在功夫上有所突破、有所升华,超出一般化,更上一层楼,这就叫"出神入化"。到了这种境界才能使艺术创造与情性表现高度统一,完全融合,成为艺术个性高度鲜明的独特的艺术创造。

第三个思想是中庸中和。"中庸之道"在我国长期受到误解,因为看到一个"中"字,就以为是"折中"的意思,即"折半以取中";看到一个"庸"字,又认为是平平常常,不突出。因此,以为遇事模棱两可,或"各打五十大板,各赏十块大洋",便是"中庸"。但正如孔子所说:"天下国家可均也,爵禄可辞也,白刃可蹈也,中庸不可能也!"假如中庸果真就是"折中",那就谁都会干,怎么会如此之难,以至于断定"不可能也"?仔细研究《礼记·中庸》篇的全文,应当悟出"中庸"不是折半以取中,而是要找到一个不断变动的平衡点。拿一杆秤来作比喻,折中是把秤锤始终不变地固定在秤杆的中点,这样的秤可以说毫无用处,真正的"中庸"是使秤锤根据被秤之物的轻重而随时移动,使秤杆平衡,把重量秤准。拿现在流行的言语说,中庸就是处理事物要把握的准确的度,这就非常之难,要做到绝对的准确,简直是"不可能也"。现实中充满了两难的事情,很难作绝对准确的处理。比如让一部分人先富起来很有必要,否则把大家绑在一起,就谁也走不快。但让一部分人先富起来却又要防止贫富两极分化,这也完全正确,非常必要。那么为了解决这个矛盾,准确的度应该怎样把握呢?恐怕谁也做不到绝对准确。但无论多么难,解决此类问题还是要求把握一个比较准确的度,这就是"中庸"。把握了比较准确的度,使矛盾得到调和,使事物出现整体上的和谐,这便是"中和"。

"中庸"、"中和"在艺术上的表现便是艺术上的准确性和完整性。当然,这两个名词古人不会说,但他们另有其表达方式。例如在表现上强调"不温不火",恰到好处;孔子讲"过犹不及",就是要求准确,因为过头与不足都是不准确。恰到好处才是准确。风格刚健的不可有霸气,风格柔美的不可有媚态;笔墨要求精深洗炼,不可单薄浅俗;书法形象要富有新意,却不是哗众取宠,流于怪诞。这些议论实际上都是强调要以表现上的准确性来求得真正的艺术成果。前人论书又高度重视和谐,这既是指各个局部、各种因素和谐结合而成整体,又是指形象丰富、生动多变,却又表现出艺术上的和谐统一。这些就都是强调艺术作品的完整性。

第四个思想是克己修身。中国传统文化在如何对待自身上非常强调修身,认为"身修而后家齐,家齐而后国治,国治而后天下平",一切都从"反求诸己"开始,并以"反求诸己"为着力点。这个思想很深刻,也很现实。因为客观情况基本上不由个人的意志为转移,只有"从自己骨头里榨油",是随时随地都可以付诸实施的;而实施以后,个人的素质与本领确实能够提高,从而取得"实至名归"的社会效果。《老子》讲"自知者明,自

讲座丛书

胜者强"，这是很发人深思的名言。

克己修身思想渗透到书法艺术中，形成了两个重要观念：一是通过提高人品来提高书品；二是只有苦练才能具有真功夫。

第一个观念非常明确，不必多说。关键是学书者由衷地相信人品的确会影响书品，从而在学书的过程中，充分重视精神素质的全面提高。

第二个观念要着重谈一谈。传统书法理论一贯强调苦练，标榜一些大书法家"池水尽黑"、"退笔成冢"。苦练就意味着克己，即克制种种欲望和诱惑，甘于受苦，不求安逸。克己的反面是纵欲，名利欲望很强烈，任性躁动，只想靠意外的机遇，乃至靠歪门邪道成名获利，当然根本没心思苦练，也肯定不会有真正的创造成果。

大约15年前，我因开会与一位著名的老书法家在宾馆中同住一间房，每天都有人来向他请教怎样写好字。他的回答总是这么一句："我实话告诉你，只有一个字，练！"我感到不解，怎么能这样回答人？我写字写不过他，但我是搞理论的，若让我来回答，至少也要讲个把钟头。后来我先后三次到某地，都有一位同志拿他写的字来要我提意见。我三次提的意见都一样，都是说他的线条质量差。在第三次谈话时，我深深感到那位老书法家只说一个"练"字是有道理的。只有多看多练，才能切实感受什么是线条质量；也只有多练，才能提高线条质量。在线条质量这个问题上，学习理论和发挥想象都没有多大作用，只有练才能解决问题。

我在研究传统书法理论时，突出感到前人特别强调两点，一是笔法的正确，二是线条的有力。这两点其实都是要解决书法的线条质量问题。开头我认为这些理论未免片面，因为书法创作讲究笔法、墨法、结构、布局；在这四者之中，笔法只居其

193

一,为什么要给以特别的强调?后来,我逐渐觉悟书法线条好比建筑所用的材料。无论有多么好的建筑设计,倘若搞成"豆腐渣工程",就什么价值也没有。倘若你只是用过去北方农村常用的大土坯来建造,那也是一定造不好的。倘若连大土坯都不用,而只用纸和三夹板来糊,那就只能做成舞台上用的布景片,根本成不了建筑物。就算你用上了青砖筒瓦,要造摩天大楼还是不可能,摩天大楼需要更高质量的建筑材料。建筑材料是决定建筑物质量的首要因素,同样,书法线条也是决定书法质量的首要因素。

高质量的书法线条必须洗炼有力,有弹性,有内劲,圆健老辣。但是你要感受到书法线务的力度却也很不容易。什么是真正的有力?胡小石先生说得最生动切实,他说:"作书所用之线条,当如钟表中常运之发条,不可如汤锅中烂煮之面条。"但即使说得这样生动,你如果少看少练,也仍然无法区分什么是发条,什么是面条;在你眼中,所有的书法线条无非是用笔墨写出来的黑道道而已。至于要做到自己写出来的线条像发条而非面条,那就只有靠苦练,除此之外别无他法。

再往后我觉悟到书法线条的洗炼有力,实际是一个艺术准确性的问题,所以才如此重要。这不妨用打乒乓球来作比喻。初学打球的人小心翼翼,肌肉紧张,动作不准确,用的力气也不准确,只能推推托托,把球托过网去就算行了,那球根本谈不上力度;当然也有人使劲挥拍,把球打得满屋乱飞,就是不落在对方台上,这自然也谈不上力度。经过艰苦磨练,成了打乒乓的能手,那时动作准确了,力气用对了,每个球都打得洗炼有力,不但力度大,而且在对方桌上的落点也随心指挥,非常巧妙,可以得分。有些旋转球像轻烟一样飘过球网,看上去没什么力度,却因旋转而产生强大的内力,使人更难抵挡。总而言之,球击出的力度与动作的准确性、用力的准确性、效

讲座丛书

果的准确性是高度统一的。准确才能够有力，有力才标明准确。所以，书法线条有力度，有内劲，很洗炼，很矫健，实际上就是艺术准确性的具体表现。如何才能有力？只有苦练。谁要像乒乓球国手苦练乒乓球那样苦练书法，想要不成为书法家恐怕不可能。这种练很苦，不大大地克己，是坚持不了的。

下面讲第二个问题，即书法艺术的发展给传统文化提供了什么？

这也可以分为"硬件"与"软件"两方面来讲。

"硬件"方面的情况很简单，就是从古至今的优秀书法作品，这已经成为传统文化总的宝库中一宗价值巨大的宝藏(实际上是无价之宝)，是中国历代书法家为民族文化乃至世界文化所作的巨大奉献。

所谓"软件"是指表现在创作实践中的精神意识及其理论总结。主要有三点，即重视创造性，强调个性化，发挥想象力。这三点在中国传统文化的发展中是很有积极意义的。

就中国传统文化的整体情况来看，中国人从古至今都是富有创造性和想象力的；而创造与想象又总离不开作者的个性特征，表现出鲜明的个人风格与特色。但是，从理论概括和文化思想的层面来看，传统文化(特别是长期占有统治地位的儒家思想) 对创造性、个性化、想象力三者重视不够，比较保守。例如孔子强调"述而不作，信而好古"，就意味着只要传承，不要创新。现在来看，在孔子那个时候，从上古时代传下的文化成果还并不丰厚，有些还相当原始，在那种情况下就已经强调只要"述"而不要"作"了，这种思想如何要得？就是到了今天，也不能"述而不作"，而应大力强调创新；因为以十万年、百万年后所达到的文明境界来反顾今天，那可以说现在的文明成果仍然是相当幼稚的。所以着眼未来，只有始终强调创新，才不致落后，才能卓然自立于文明世界的民族之林。

荀子是儒家的宗师之一，他的态度比孔子还保守，而且绝对化。他说："学恶乎始？恶乎终？曰：其数则始乎诵经，终乎读《礼》。……《礼》之敬文也，《乐》之中和也，《诗》、《书》之博也，《春秋》之微也，在天地之间者毕矣。"在他看来，有了儒家的"五经"，天地间的一切便已完备，人们自始至终只要学这几部书就可以了，再也不需要提供新的思维经验和发明创造了。这种说法错误之极，后世的人如果照此行事，中华民族不仅不会有如此灿烂的文化，而且恐怕早已在世界民族之林中沦落了。当然，荀子的这种谬论纯属个人一厢情愿，不可能完全束缚人们的创造要求和能力，所以中华民族代代都有重大的发明创造，并且遍布各个领域。其中，书法艺术的创造性发展尤其显得突出而持久；它在创造性、个性化、想象力三个方面的自觉追求，的确为传统的文化思想作出了可贵的奉献。之所以这样说，并非因为我们偏爱书法艺术便故意抬高它。书法艺术在创造性、个性化、想象力三方面表现突出，是由一些特定因素决定的，实际上带有某种必然性。

第一，书法艺术在各个历史时期中，都是在实用书法的基础上发展出来的。实用书法一再出现巨大的书体变化（大类就有篆、隶、正、草，小类更多，如篆有甲骨、钟鼎、大篆、小篆，隶有秦隶、汉隶、八分，楷有魏碑、唐楷。篆隶正草之后，现在又要加简化字，将来还会有新发展），这种变化是由社会生活的发展所驱动的。例如，虽然"述而不作"是孔子说的，但秦代的官吏却不能照办，因为公文多，又紧急，用篆书实在写不过来，只能创出大大简化的秦隶，否则误了公事要杀头。尽管孔子说了"述而不作"，秦代的公务人员却非"作"出秦隶不可。实用书法的形体一再大变，这就是说书法艺术的基础在变，于是书法艺术也必然不断地花样翻新，即一再在新的基础上作出新的艺术创造，形成新的创作主流（如秦篆、汉隶、晋帖、魏碑、唐楷等

讲座丛书

等)。这种创造性从根源上说,是由人民群众集体创造所驱动的,所以实际上具有必然性。

第二,写字的人各有各的性格、气质、情操、趣味、素养和智能特长,甚至各人在机体的生理结构上也各有差异。因此在实用过程中写出来的字就已经是一人一体,各不相同(所以签名的字迹可以经鉴定而确认出于何人之手);在此基础上,由于更高的美学追求和深厚的写作功夫而形成的书法艺术,就必然更加自觉、更加鲜明地表现出艺术的个性。所以,书法艺术的个性化实际上也具有必然性。但如"馆阁书法"那样,以功利逼迫人去除个性、严格按照模式来写,那就是另一回事,是违背书法创作的正常情况的。

第三,书法的创作手段很简单,不过是白纸上写黑字,而所写的又必然是大家认同的汉字,所以它在创作中所受的限制很大。限制很大而又要力求成为姿彩纷呈的精深艺术,这就不得不依靠坚实的基本功夫和活跃的"创造想象",才能挥洒自如地写出富有新意和美学价值的书法形象。书法创作的想象,早在学习阶段便已受到训练。学书法要临写多种法帖,对不同的艺术形象在心中进行熟练而巧妙的分解与融合,这便是一种"创造想象"(相对于"再造想象"而言)。到了更高的创作阶段,还要善于吸收万物万象的线条、结构和意态之美,将其融入书法而不露拼凑的痕迹,如王羲之观鹅而有悟于书法,张旭见公主与担夫争路而有悟于书法,前面还说过张旭观公孙大娘舞剑器而有悟于书法,黄庭坚观船夫荡桨而有悟于书法,李阳冰说于天地万物皆有所得,这些都是更加精深的"创造想象"。

中国书法艺术对于创造性、个性化、想象力的强调与提倡的确很突出,既摆出了许许多多实践的样板,又有一定的理论总结。因此,书法艺术对创造性、个性化、想象力的倡扬已成为一种影响相当深远的文化思想，为中国传统文化提供了富有生机活力的精神因素。

（演讲时间：2002 年 5 月 3 日）

黄晓和

苏联卫国战争时期的交响乐

　　黄晓和，中央音乐学院外国音乐史教授，音乐教育家，博士生导师。1954年入苏联莫斯科音乐学院，1961年以优异成绩毕业，被授予"音乐家、理论家"资格。著作有《苏联音乐史》。论文有《旧制度灭亡的丧钟，新世纪诞生的凯歌——俄国无产阶级革命歌曲评价》、《时代·生活·思想·创作——纪念柴科夫斯基逝世一百周年》等。

上次介绍了苏联卫国战争时期的歌曲，今天着重讲一下交响乐。我为什么选用这两种体裁呢?这两种体裁是苏联音乐成就最突出的方面。它们贯穿了苏联建国以来 70 多年的历史，在十月革命以前，俄国的革命歌曲就有很广泛的流传，然后在整个苏联时期继续发展，这是最底层的、最大众化的体裁。另外一种最复杂的、艺术上最高的、体现作曲家最高成就的，就是交响乐。

交响乐在俄国也是很有传统的。俄国十月革命以前，著名作曲家柴科夫斯基写了很优秀的交响曲。除了柴科夫斯基以外，格林卡、"强力集团"(新俄罗斯乐派)里边的一些作曲家，比如里姆斯基－科萨科夫、鲍罗丁、穆索尔斯基也留下不少交响乐作品。苏维埃时期，交响乐更加发达，因为这种体裁形式更适合表现重大社会变革的内容。很多作曲家，像最著名的米亚斯科夫斯基、普罗科菲耶夫、肖斯塔科维奇、哈恰图良、卡巴列夫斯基等等，都在交响音乐方面很有成就。

我今天着重讲的是苏联卫国战争时期的交响乐，这个时期产生了很多交响曲，其中影响最大的是肖斯塔科维奇的《第七交响曲》，其他还有他的《第八交响曲》，普罗科菲耶夫的《第五交响曲》，哈恰图良的《第二交响曲》(《钟声交响曲》)等。肖斯塔科维奇的《第七交响曲》有个标题叫《列宁格勒》。它可以说是已经载入史册的一部音乐杰作，把整个第二次世界大战和苏联卫国战争这样重大的事件，通过音乐形式再现出来了。下面我简单介绍一下肖斯塔科维奇的生平，然后再讲这个作品。

肖斯塔科维奇的全名叫德米特里·德米特里耶维奇·肖斯塔科维奇,出生在彼得堡,父亲是个化学工程师。肖氏自幼就显示出了音乐才能,9－11岁就开始作曲,写了一些小型作品。14岁进入彼得堡音乐学院。在校期间,他对现代音乐比较热衷,比如对奥地利现代作曲家马勒和俄罗斯现代作曲家斯特拉文斯基的作品有浓厚兴趣。1923－1925年,分别以钢琴和作曲专业毕业于彼得格勒音乐学院。毕业时写的作品《第一交响曲》就引起了注意。这个作品很快传到西方,由著名指挥家托斯卡尼尼指挥演奏了这个曲子。同时他的钢琴弹的也不错,在1927年波兰举办的第一届肖邦钢琴比赛中获得了荣誉奖。

他的创作可以这样看:从20年代末到40年代初,也就是苏联卫国战争前这段时间, 他的音乐创作主要是从探索走向成熟。他写的《第二交响曲》和《第三交响曲》都是有标题的。第二交响曲叫"十月的献礼",写于1927年。第三交响曲叫"五一节",是1929年写的。他的这些作品都力求把革命的内容与最新的创作技法结合起来,但当时演出后受到了批评,因为他的手法过于新颖,人们当时不能接受。他还写了一部歌剧,用果戈理的短篇讽刺小说改编的,名叫《鼻子》。后来又写了两部舞剧,《黄金时代》和《螺丝钉》,都是现代题材的。这些作品都没有被接受,都在官方、艺术界、音乐界受到冷遇。他用一种漫画式的手法来描写苏联现实生活的芭蕾舞,被认为是不真实的,受到了批判。最为严重的是他在1932－1933年,写了一部歌剧《姆岑斯克县的麦克白夫人》,这是根据俄罗斯小说家列斯科夫的一部同名小说改编的。小说原来是以一种揭露性的手法,表现一个农村妇女为了实现自己的幸福,不惜用谋杀的手段来达到自己目的的故事。小说本来是把女主角作为反面角色,作为罪犯来揭露的。但肖斯塔科维奇把这个作品作了重新理解。他认为这个女主角本身虽然是个罪犯,但她自己也是个受害者。他把她比喻成"黑暗王国里的一线光明"。他认为她本是一个很朴素的农村姑娘,由于是在当时的黑暗社会,为了自己的幸福,她不得不采取这样的手段。肖斯塔科维奇这样解释说:"我要为她辩护。"

原著小说叫《姆岑斯克县的麦克白夫人》。借用莎士比亚剧作《麦克白夫人》里一个贵族女人通过谋杀手段来夺取王位的剧情。但肖氏对歌剧里这个人物进行了全新解释,对她着重刻划,给她很多非常抒情的唱段,表示同情。这个歌剧开始演的时候在音乐界的反映还不错,在2、3年内都是被肯定的。但是后来斯大林看了,很反感,就批判这部作品。用《真理报》出社论的手段点名批判这个歌剧。社论名叫《混乱代替音乐》,说这个作品一塌糊涂、一无是处,除了内容以外,音乐艺术形式和手段也是很糟的。这对肖斯塔科维奇是很大的打击。紧接着不久,他的另外一部舞剧《清澈的溪流》(是写集体农庄的生活的),也被认为是歪曲了苏联农村的现实生活,同样发了一篇名叫《舞剧的虚伪》的社论,对其进行了批判。在这种情况下,他明白了这些作品是不适合苏联领导意图的,于是想办法"改邪归正",想办法写许多别的东西,例如他为电影写了许多音乐,像苏联很多著名的电影《马克辛三部曲》、《伟大的公民》、《带枪的人》、《卓娅》等,因此很受欢迎。肖斯塔科维奇从2、30年代到卫国战争之前,经历了两种情况:一方面他受到严厉的批判;另一方面又受到高度的赞扬。

到了苏联卫国战争期间,他写了两部交响曲,一个是在卫国战争初期写的《第七交响曲》,一个是在卫国战争中后期写的《第八交响曲》,这两部交响曲的命运也是很不一样。《第七交响曲》受到了高度的赞扬,社会反映很强烈;《第八交响曲》

却遭到了批判,因为他很真实地写了战争的残酷性。结果有人批判他在战争刚开始时写《第七交响曲》,还很有信心,要战胜法西斯,可是到了写《第八交响曲》时,就灰心丧气了(在本应该表现苏联人民的英雄主义时,却刻画战争的残酷性,这就是缺乏信心),因此很长时间不让演出《第八交响曲》。这对他来说,又是一次沉重打击。到了卫国战争结束以后,肖斯塔科维奇又写了《第九交响曲》。《第九交响曲》又遭到批判。因为在这之前他曾讲过,想写一部叫《列宁》或者叫《胜利》的交响曲,可是他后来没有写,而是写了一个《第九交响曲》作品,比较轻松,比较欢乐,与人们期待的不同。人们期待的"第九"是一个歌颂卫国战争丰功伟绩的、宏伟的、庆功性的作品,结果不是这样,所以人们感到很失望。

很不幸的是,紧接着苏联共产党 1948 年在整个意识形态领域包括电影、话剧、文学直到音乐界开展了一次很猛烈的批判运动,当时苏共中央主管意识形态的老布尔什维克领导人日丹诺夫亲自主持对音乐界的整风,搞了个批判运动。这个批判运动本来是针对作曲家穆拉杰利(他写过一首著名歌曲《莫斯科-北京》)的一部歌剧《伟大的友谊》,该剧本来意图是想歌颂苏维埃政权建立初期,一个老布尔什维克在格鲁吉亚、高加索一带,正确贯彻民族团结政策,使得原来的民族冲突解决了,建立了苏维埃政权。这部歌剧在十月革命 30 周年的时候在全国很多歌剧院上演,没有想到斯大林看了以后很不满意。因为歌颂的那个人物正是和斯大林之间有矛盾的人,歌颂了这个人,没有歌颂斯大林,斯大林看了以后当然很不高兴。说音乐不好实际上是醉翁之意不在酒,但当真的开展大批判的时候,实际上点名批判的还是肖斯塔科维奇、普罗科菲耶夫和米亚斯科夫斯基等其他作曲家。肖斯塔科维奇受了批判以后,又写了一些能适应当时党的领导人需要的、或者说适应广大人民群众需要的作品。例如写了著名的清唱剧《森林之歌》，写了《节日序曲》，后来又写了《第十一交响曲》——就是专门描写 1905 年革命的。同时又为其他很多电影写了一些音乐，如《青年近卫军》、《易北河会师》、《攻克柏林》、《难忘的 1919》、《牛虻》等。直到斯大林去世以后，1958 年赫鲁晓夫当政了，才纠正了对这些作曲家不公正的批判。而且他们的作品——当时禁演的作品，也都可以重新公演了。但到了赫鲁晓夫时期，肖斯塔科维奇也并不是一帆风顺的。60 年代时，他写了一部《第十三交响曲》，用了苏联年轻诗人叶夫图申科的诗。里头有点影射斯大林时期的高压政策，尤其是对犹太人的一些迫害。赫鲁晓夫认为他又威胁到党的领导地位了，又对他进行了禁演，禁止演他的《第十三交响曲》。

　　总的来讲，肖斯塔科维奇生长在苏维埃时代，他深刻地体验到了社会主义时期的各种矛盾冲突，并在自己的作品里作了反映。不管他的主观愿望怎么样，音乐里确实反映出了苏维埃时代的一种悲剧性，一种矛盾性。我们现在可能比较好理解，因为我们经过了文化大革命，我们也知道社会主义并不是一点矛盾都没有，也充满了各种各样的斗争，甚至于包括党的领导层的矛盾。

　　我觉得这个作曲家是一个很有思想的作曲家，到现在都是很有争议的且争论很大的人物。当然我并不同意后来出版的一本叫作《肖斯塔科维奇回忆录》的书中的一些说法。这本书实际上有很多东西是伪造的。在肖斯塔科维奇快去世之前，有一个俄国青年音乐理论家沃尔科夫访问过他。这个人在苏联尚未解体前，于 70 年代末就叛逃到西方了。在肖斯塔科维奇去世以后，过了 3 年，他出版了所谓的《肖斯塔科维奇回忆录》（书名发表时叫《见证》）。该书全部用肖斯塔科维奇的口气说话，但是有很多东西实际是沃尔科夫为迎合西方的需要而编造的。因为当时苏联还没有解体，西方对苏联社会主义从来是持否定态度的。比如，关于今天我们要讲的《第七交响曲》，肖斯塔科维奇是在苏联卫国战争时期写的这个作品，反映的是苏联卫国战争时期的艰苦斗争，揭露了法西斯侵略者的丑陋嘴脸，同时歌颂了苏联人民的英雄主义。可是沃尔科夫在他的书中，用肖斯塔科维奇的口气说这个作品不是写苏联卫国战争的，是写反对斯大林的，而且说不是在苏联卫国战争时期写的。这和事实完全是相反的，是不可信的，此书在西方也引起了很大争论。我去年正好去英国参加了一次纪念肖斯塔科维奇的学术会议，会上也专门讨论这本书的问题，也是有各种不同看法，这是和冷战时期的各种思潮有关系的。我觉得应该有必要还历史的本来面目。

今天为什么专门讲《第七交响曲》呢？因为正好在 1995 年纪念第二次世界大战和反法西斯战争 50 周年的时候，在我们国内第一次演出肖斯塔科维奇的《第七交响曲》，专门请了列宁格勒（现在叫圣彼得堡）的一位指挥家来指挥中央乐团演出了这个作品，在国内反响很大，大家听了以后感到很振奋。就在这同时，也有少数人把这个所谓的《肖斯塔科维奇回忆录》中的一些话摘录出来，在音乐厅散发，说这个作品不是写反法西斯的，而是写反斯大林的。针对这种情况，我觉得应该把这个事情澄清一下。我就专门写了一篇文章，谈肖斯塔科维奇的《第七交响曲》。我考察了很多史料，来证实肖斯塔科维奇的《第七交响曲》是在卫国战争时期写的，而且在战争时期引起了巨大反响，完全是正面歌颂苏联卫国战争，同时也是非常透彻地、入木三分地揭露了法西斯的丑恶嘴脸。我今天为什么要专门讲这部交响曲，就是有这个特殊的原因。

现在我们看一段介绍肖斯塔科维奇生平的 VCD 片（国家卫星电视教材《交响音乐赏析》第 14 集，中央音乐学院北京环球音像出版社。），然后我再简要地介绍交响曲。（播放 VCD）这是电视台作的一套外国音乐欣赏的片子。其中有一段专门介绍肖斯塔科维奇和普罗科菲耶夫的。

首先我讲一下，在卫国战争爆发时肖斯塔科维奇处于什么样的状况。

1941 年 6 月 22 日德国法西斯军队突然向苏联大举进犯。苏联人民被迫奋起抵抗，从而掀起了伟大的卫国战争。战争爆发的当天，34 岁的肖斯塔科维奇正在列宁格勒音乐学院的钢琴系组织考试，战争的消息暂时打断了考试的进程。当天他郑重地提交了参军的申请，当时对他的回答是："何时需要，我们会召唤你。"当城市开始建立民兵队伍的时候，他立即去报了名。第二次报名申请是在 7 月 2 日。报名第二天他在《消息报》上表态："我要去保卫自己的国家，并准备不惜牺牲生命和力量，完成委托给我的任何任务。"7 月 5 日在列宁格勒《真理报》上还公布了肖斯塔科维奇的一封信："我作为志愿者加入了民兵队伍，在这之前的日子里我只知道和平、劳动，现在我准备拿起武器。我知道法西斯主义和文明末日是同义词，历史地看，法西斯得胜是荒谬的和不可能的。我知道只有战斗才能把人类从死亡中解救出来……"表示了他自己鲜明的态度。

7 月初，肖斯塔科维奇随列宁格勒音乐学院的队伍到城郊去挖战壕，按时完成任务以后，他又参加了消防队，在音乐学院的顶楼上值勤。不久，肖斯塔科维奇担任了民兵剧院的音乐指导，与著名的演员切尔卡索夫等人合作，编排了活报剧等作品到前方去演出。肖斯塔科维奇深受战士们高昂士气的鼓舞，他激动地表示："战士的情绪好极了，他们全都绝对相信战争胜利的结局。"后来他找了一份工作，负责挑选和改编一些便于到前方演出的歌曲和乐曲。这件事情他做得得心应手，因为这是他的专业。在 7 月 12 日到 14 日,仅 3 天他就改编了 17 首歌曲和浪漫曲,总谱长达 111 页。其中有贝多芬的《苏格兰饮酒歌》、罗西尼的《阿尔卑斯山的牧羊女》、比才的《哈巴涅拉》、穆索尔斯基的《戈帕克》、勃兰捷尔的《肖尔斯之歌》、杜那耶夫斯基的《海之歌》等等,作品改编成很小的编制,即供 3 个人能演出的乐谱:一名歌手、一把小提琴、一把大提琴,3 个人很方便去演出。同时肖斯塔科维奇也动手写一些群众歌曲。苏军红旗歌舞团团长亚力山大罗夫谱曲的《神圣之战》是在战争初期最先出现的一首歌曲, 这首歌迅速地在广大群众中间传唱,肖斯塔科维奇深受启发,立即创作了号召团结奋斗、建立功勋的歌曲《向人民委员会宣誓》。这是一首当时十分典型的总动员歌曲,是对当时发生的事件的直接的反映。此外,他还写了歌曲《大无畏的团队在前进》,为民兵第三师写了《近卫军师之歌》。但是肖斯塔科维奇不甘心仅仅做这些事情,他很愿意直接参加斗争,他甚至到列宁格勒郊区的民兵指挥部请求:"哪怕是让我去当一名炊事员也愿意。"在紧张的空袭间隙,肖斯塔科维奇常常到大街上去观察体验,他深深为战火中的城市的庄严美丽而感动,他写道:"带着沉痛的自豪的心情,我观看可爱的城市。它被大火烧焦,在战火中锤炼,它屹立着经受着战争的磨难,但是在自身的威严中它显得更为美丽。怎么能不爱这座由彼得大帝所建立和由列宁为人民而夺取的城市呢?怎么能不向全世界宣扬它的荣耀,它的保卫者大无畏的精神呢?那是怎样的大无畏的精神啊!在这场斗争中隐藏着多么深邃的人性! 我散步归来,被强烈的欲望所激动,尽快把自己感受到的东西投入战斗,要把它写作出来。"7 月 14 日肖斯塔科维奇在广播电台里发表讲话,向英国和美国的朋友发出团结起来同法西斯斗争的呼吁。

当他上前线的申请遭到坚决的拒绝以后,他才下定决心

讲座丛书

以自己最擅长的本职工作——作曲来投入伟大的爱国战争。于是他构思要写一部大型作品。那么在这样严峻的时刻选取什么样的题材内容、采用什么样的音乐体裁和形式进行创作，是肖斯塔科维奇反复思考的问题。起先他想用圣经中的大卫诗篇写一部大合唱，这与受到斯特拉文斯基的一部《圣诗交响曲》的启示有关系，他的一位好朋友、音乐学家索列尔金斯基，还专门为他从圣经中挑选了大卫向占领者复仇的一些诗句。但当他努力工作几天以后，他深信作品不会成功，因为他感觉到古老的诗句产生不出活生生的音乐。但他又深信面向广大听众的战争题材的音乐作品只有借助诗词的力量才能充分地发挥艺术效应。于是他决定自己来作词，他觉得自己在创作歌剧《鼻子》和《姆岑斯克县的麦克白夫人》的歌剧脚本的时候已经获得了一些经验，觉得有点儿自信。但是工作一段时间以

后，他对自己所写的东西非常不满意，最后他觉得还是写纯器乐的交响曲更能表现当代人的强烈的感受。他认为"除了要表达人们的普遍的悲痛外，还要突出个性的悲痛，也许是一位母亲的悲痛，已经连眼泪都流干了的悲痛。同时还应该表现人类对自己同类的真正的爱。"当时有一个画家曾经问他，为什么不寻找新的表现形式？他惊讶地回答说："怎么这样说呢？要知道，可以在某处寻找某样东西，而在自身是不可能的。我创作自己的音乐是凭我的感觉、凭我的听觉，是发自内心的，出自这儿(指心脏)。"当肖斯塔科维奇紧张地思索着写什么和怎么样写的时候，突然发生了一起令他十分震惊和痛心的事件：他的一位名叫弗列什曼的学生(这是个犹太作曲家，是个很有才华的学生。)和另外两名列宁格勒音乐学院的学生，在列宁格勒前线英勇作战中，与德国的坦克同归于尽。这个突如其来的噩耗使他非常难过，他怀着极大的悲痛和愤怒，决心用音乐来表达自己切身的感受和体验，于是他随时把总谱纸带在自己

身边，连做消防队员到楼顶上去值勤时也把总谱纸带在身边。他说："把总谱纸也带到那里去是为了不荒废时间，要知道有时候往往你会中断创作，而那个时候我不能。"

在战前的春天，肖斯塔科维奇曾经想过写一部《列宁》交响曲，并且已经开始动笔，但是战争爆发以后打乱了他的创作计划，不过人们发现战前构思的那部交响曲与《第七交响曲》有某些相同之处，这两部作品相距的时间很近，在作曲家的意识里活跃着列宁的形象，而《第七交响曲》中有鲜明的祖国的形象，对领袖和对祖国的感情，体现出共同的信念和共同的爱。正如当时苏联作曲家协会的主席赫连尼科夫所说："没有这种爱，就不会有肖斯塔科维奇的杰作，其中包括他的《第七交响曲》。这部交响曲既暴露了法西斯的凶恶面目，又成为苏联人民大无畏精神的象征。"

讲座丛书

现在我讲一下这部交响曲第一乐章写作的过程和背景，讲完以后我们把第一乐章听一下。

整个第七交响曲最突出的是第一乐章。现在保存下来的若干已经发黄了的手稿，是肖斯塔科维奇创作《第七交响曲》真实情况的最可靠和最珍贵的文献资料，从中能够察觉作曲家的写作过程是相当紧张和急促的：笔迹很重很深，有不少涂改之处，还有一些特别的标记。例如在手稿上常常出现一些小圆圈，小圆圈里面标写了两个俄文字母，一个像英文的"B"，一个像英文的"T"。为什么写这两个字母呢？这是俄文"空袭警报"的缩写。表示当时他正在写作，突然发生空袭警报，他就只好画一个圈，表示空袭警报将他中断，这很真实地反映出他是在战争环境下来写这部作品的。还有在手稿的第一页上标明的开始写作时间是"1941 年 7 月 15 日"，是他自己标记的。这些最初的乐谱手稿一共有 13 页，保存在中央国家文学艺术档案馆。只有在特殊场合，在纪念性的展览时才能和观众见面。在手稿的封面上盖有档案馆的红印"孤本"。

这些手稿是用钢琴谱的形式来写的。当时还没有标明页数、页码,小节线不像整洁的总谱那样用铅笔来标记,而是匆匆地用沾水墨笔标划的。可见当时他很仓促。而且在右边的空白处,潦草地写上了乐队的编制,标明这个声部将来可能用什么乐器,将来变成总谱是什么样子。在第 3 页第 6 行上,记录小鼓的节奏音型处出现了一个名称叫"侵犯"——侵略的主题,是描写法西斯侵略的。用小鼓的鼓点,用军队行进的节奏标出来。而在第 8 页第一乐章的收尾中,又出现了"侵犯"的主题。第 8 页上尖锐的笔迹,记下了他最后完成的日期是 8 月 29 日。也就是说肖斯塔科维奇第一乐章的写作几乎用了一个半月的时间,虽然这个乐章的构思很宏伟,结构很独特,篇幅很巨大,音乐整个持续的时间将近半个小时,但这对肖斯塔科维奇来说,是不短的时间期限,因为以前肖斯塔科维奇写东西是非常快的。这与在空袭的间隙写有关。

肖斯塔科维奇在积极投入第七交响曲创作的过程中出现了一个花絮:他在 7 月 29 日拍过一张头戴消防盔、身穿消防服的照片,在美国的《时代》杂志的封面上刊登出来了。这时有一位美国富翁向新闻记者发表声明:"如果俄罗斯缺乏人力去扑灭燃烧弹的话,我准备用自己的费用,派高度专业化的消防队去那里替换肖斯塔科维奇。"他以为肖斯塔科维奇整天在忙这个事情。这期间战争已经逼近列宁格勒大门口,装备 6000 门大炮、1000 架飞机和 1000 辆坦克的 30 万法西斯军队已经扑向列宁格勒,德国的北方军团开始进攻,直达列宁格勒西面的卢加河。8 月 16 日肖斯塔科维奇出席了作曲家协会的理事会,在理事会上建议包括肖斯塔科维奇在内的一共 28 位作曲家疏散,离开列宁格勒,并且拨了款给肖斯塔科维奇及其他作曲家。肖斯塔科维奇接受了一些物质帮助,但他拒绝撤离。人们一再劝他离去,他表示:"我认为我留在列宁格勒更为有益,关于这一点我同列宁格勒组织的领导人进行了严肃的谈话,他们说我应该离开,但我不急于离开笼罩着战斗气氛的城市。"8月17日德国坦克军团占领了附近的纳尔瓦城,敌军的第18集团军也向列宁格勒运动,企图割断城市同莫斯科的联系。8月21日前线军事委员会在广播中向列宁格勒人发出公告:"德国法西斯军队的侵犯直接威胁着我们亲爱的城市,我们能够和必须用组织性、克制、勇敢和无情的消灭法西斯强盗的方式来制止血腥的屠杀,我们将不惜生命同敌人作战。"城市实行戒严,晚上十点至早上五点禁止上街。

在这些日子里,肖斯塔科维奇同诗人左琴科相遇。诗人立即发表文章说:"城市成为前线,人们进行着最后的准备,城市准备作战,每走一步都能感觉到前线的临近。我在街上遇到了作曲家肖斯塔科维奇,我们走进咖啡馆一起去喝咖啡,肖斯塔科维奇讲了怎样干了6天挖土方的活儿,以及在消防分队的工作。他问我在写什么,我回答:'为报纸、杂志、电台写杂谈。'轮到我向他提问题的时候,他出乎意料地说:'正在写《第七交响曲》。我不知道怎样,看来还不错。''主题呢?'——'也许没有准确的主题,而总的主题是战争,是斗争,是苏联人民的英雄主义。'——'我听说你特地为民兵战士写作,是这样的吗?'——'是这样的,我写了对句歌、《近卫军之歌》和用萨扬诺夫的诗词写的《向人民委员会宣誓》这样的歌曲。'"

自9月1日起空袭日益频繁,肖斯塔科维奇护送妻子和孩子进入避弹所以后,自己尽快返回住所,直奔书房,急着誊清第一乐章的总谱,仔细地用绿墨水确定配器的织体,精心地标记细微的演奏法。总谱同手稿比较,没有多少实质性的改动和变化。作曲家预先的构想以异常鲜明、充实和迅速的笔迹记录下来。事后在《音乐是怎么诞生的》这篇文章里他概括了自

讲座丛书

己的创作过程,他以《第七交响乐》为例,表明创作是内心的冲动、不可抑制的创作灵感和将其如实地体现的同步活动。他说道:"我写得很快,仿佛是一气呵成,我不可能不写它。"9月3日他结束了第一乐章总谱的誊写,同时决定把它继续写下去。

我要说一下,他开始时并没有想到要把这部作品写成一个完整的大型的4个乐章的交响曲,他只是带有很强的愿望写作,实际上把这个第一乐章写得非常的完整,就像一个独立的交响诗一样,结构很庞大。它里头很清楚的是:一方面从正面歌颂了苏联人民的英雄气概,同时也描写了苏联战前的和平幸福的生活。作为一种对比,作为与苏联欣欣向荣的和平建设时期的对比,作曲家用很大的篇幅,一个庞大的插部,用一种变奏的形式,找了一个很典型的德意志普鲁士古老的军队进行曲的旋律和节奏,把优美的曲调都抽掉,只留下好像是干瘪的一条筋,构成完全毫无人性的主题。这样一个主题进行了11次变奏,充分地调动了整个交响乐队的手段。从很轻的、很少的乐器开始,从头至尾的军鼓的节奏贯穿,然后配器不断地增加,一次一次地变奏,把法西斯丑陋的、凶恶的、残暴的强盗嘴脸刻画得入木三分。同时也描写了反抗的力量和它进行搏斗,针锋相对犬牙交错的搏斗。代表苏联人民的反抗主题跟法西斯主题进行针锋相对的对抗,使法西斯的主题碰得头破血流、支离破碎,最后那个主题拼命地挣扎,形成了戏剧冲突的高潮。然后在重新出现苏联人民的主题的时候,构成的是很悲壮的形象。经过一场战争以后带来的是灾难,无尽的痛苦,巨大的牺牲。原先宏伟雄壮的主题变得很威严,悲壮,而最开始描写苏联人民的那种和平幸福生活的主题也改变了性质,变成仿佛一个老人在废墟上沉思,在思考人类的灾难,音乐带有一种送葬的气氛。这段音乐过后,又开始化悲痛为力量,重新

文津演讲录3

恢复一种光明的前途,进入乐曲的尾声。音乐渐渐安静下来,又隐约地听见了小号吹奏的法西斯主题,音乐断断续续,给人一种警示,意思是战争并没有结束,更艰苦的斗争还在后头呢。第一乐章就给人留下这么一种印象。我们把这个乐章从头到尾听一遍,伴随音乐的进行,出现相关的主题和段落时,我提示一下。

(音乐)现在听到的是第一主题,音乐宏伟雄壮,表现苏联人民从事和平劳动,朝气蓬勃地建设国家……

随后逐步过渡到抒情的第二主题,它表现苏联人民幸福、和平、宁静的生活。

音乐很温柔,像摇篮曲似的,很清新、透明……现在到了呈示部的结尾,音乐使人联想到夏日美好的自然风光,人们过着幽静平安的生活。

讲座丛书

好像慢慢地夜静了,人们逐渐进入了梦乡。

就在一片宁静的时候,远远地听到小鼓声音。象征法西斯入侵的主题开始了,这是悄悄地偷袭。小鼓的节奏从头到尾重复了 175 次,贯穿这个插部的始终。主题陈述之后,接下去是 11 次变奏。第一变奏,由长笛主奏,大提琴作为背景。第二变奏是短笛和长笛两个声部领奏,大提琴是一种蠕动音型,好像战争怪物,整个力度由轻而强,逐渐加强。第三变奏是双簧管和大管交替地、错位地互相模仿,大提琴和第一提琴和弦陪伴。第四变奏是由小号和长号、巴松、铜管演奏。第五变奏是木管。第六变奏是小提琴、弦乐。第七变奏是弦乐再加上木管。从第八变奏开始,音量逐渐加大,走上高潮。第九变奏更加疯狂了,简直像鬼哭狼嚎一样,在这个变奏的最后,出现了反抗的主题。就是这个主题,逐渐逐渐地渗透进去,构成犬牙交错,两军相对。到了第十变奏,音乐进入高潮区,敌人的嚣张达到了顶点,突然,好像撞在铜墙铁壁上,法西斯主题一下子好像被折断了一样。反抗的主题更加坚不可摧,法西斯的主题则变得支离破碎。

音乐进入再现部又重新恢复了苏联人民的主题,它变得异常悲壮。然后有一段大管独奏,给人的感觉好像是一个老人坐在废墟上,思考这场战争的残酷性,怀念、悼念死去的英雄。有一位苏联作家听了这段音乐以后这样说:"这是为祖国而战的牺牲者的纪念碑,是葬礼进行曲。它并不呼唤眼泪,悲痛太深重,呼唤眼泪就是软弱的征兆。不,现在不应该软弱!而以安魂曲悼念我们的英雄、我们的兄弟、我们的儿子和父亲的时候,眼睛是干燥的,拳头是紧握的。"

然后进入这个乐章的尾声,音乐的意味好像是化悲痛为力量。人们从噩梦中醒过来,又振作起精神,又一闪念式地回顾刚刚经历的战斗,然后很快又安静下来,又恢复到和平、宁静的气氛,但是色彩有点暗淡。再后轻轻地、间断地有小鼓声,小号断断续续奏出法西斯的主题。这样一个结尾很意味深长,暗示了斗争还没有结束,提醒人们不要放松警惕,未来还有艰苦的斗争,第一乐章就是这样一个结局。

肖斯塔科维奇后来又写了 3 个乐章,这 3 个乐章从各种不同的侧面,基本上就是把第一乐章包含的战争与和平这样两个尖锐对立的内容,作进一步的展开表现。

由于时间关系,后面 3 个乐章,请大家自己去欣赏。下面我讲一下这个作品引起的社会反响。

肖斯塔科维奇的这部作品,是在 1941 年 7 月中到 12 月末期间创作的,前 3 个乐章是在被包围的列宁格勒写的,第三乐章写完以后,组织上决定让肖斯塔科维奇疏散到后方去,因此他离开了列宁格勒。先到了莫斯科,后来又让他再往后撤,本来要让他撤到哈萨克斯坦一带,但他不愿意离前线太远了,于是就到当时的临时首都古比雪夫,在那儿把最后一个乐章完成了。12月份完成作品以后，1942年3月5日，在苏联临时首都古比雪夫由指挥家萨莫苏德指挥莫斯科大剧院乐队首次公演，立即在苏联国内外引起了强烈反响，后来这个作品获得了斯大林奖金一等奖。

当作品问世以后，肖斯塔科维奇进一步表白，他说："在写这部作品的时候，我想到的是我们人民的伟大及其英雄主义，想到的是人类最美好的理想和人的美好的素质，想到的是我们美好的大自然、人道主义和美，想到的是同法西斯的斗争和我们即将来临的胜利，想到的是我亲爱的城市列宁格勒，我把自己的《第七交响曲》献给它。"所以这部作品叫《列宁格勒交响曲》。

这部交响曲在国外的首次演出是1942年的7月19日，在纽约，由著名的意大利指挥家托斯卡尼尼指挥美国国家广播交响乐团演出。当时战争情况非常紧张，为了实现这次历史性的演出，把交响曲总谱摄制成了微型胶片，通过军用飞机飞越伊朗、北非、南美最后运抵美国。这次音乐会演出的实况美国全国和南美成百家的广播电台同时转播，影响波及到了整个西半球。除了托斯卡尼尼以外，其他的著名指挥家如库谢维茨基、斯托科夫斯基、奥曼迪这样的著名指挥家先后都在美国指挥演出了这个作品，仅1942－1943年这一个年度，这部交响曲就在美国演出了62场之多。美国音乐评论家施瓦茨写道："交响曲在美国、澳大利亚、拉丁美洲等世界各地演出都已经不是一般的音乐会了，它成为向伟大人民为争取生存而斗争的不屈不挠的精神力量致敬的颂歌。这种精神力量是由他的一个儿子，用一种世界的语言——音乐表现出来的。"《美国工人日报》（美国共产党的报纸）有一篇文章说："交响曲给我们以精神力量和和平必将来临的希望，我们应该以紧急援助我们伟大盟友的方式来表达我们的感激。"美国还有一份报纸

讲座丛书

这样评论："如果一个国家的艺术家在这样严酷的日子里创作出了具有不朽的美和崇高精神的作品，那么这个国家就是不可战胜的。"甚至有一位美国听众惊讶地表示："有什么样的魔鬼能够战胜创造了这样音乐的人民呢？"

这部交响曲在自己的诞生地列宁格勒演出，是在1942年的8月9日，在被围困的列宁格勒演出。当时很多音乐家要么就牺牲了，要么就往后撤了，所以乐队就不齐全了。为了要实现这样一次列宁格勒演出，要拼凑出一个乐队来，有的音乐家就从消防队军乐队抽来，前线战士里面的音乐家从前线调回来。这次在列宁格勒的演出也是盛况空前的，当时有一个著名的音乐学家做了日记，记录下了首演的情况："大厅的情景令人激动，这里仍然像从前那样充满了节日的气氛。听众全部或几乎全部是被围困的列宁格勒音乐生活的代表，里面有作曲家、歌剧演员、教师以及许多带着自动武器从前线直接赶回来的战士和工作人员。乐队还得到了临时从一些部队抽调来的音乐家的支援，总谱中需要8只圆号、6只小号和1个庞大的打击乐器组。人们不是一下子就能够说出听了这部交响曲的印象的，这不是什么印象，而是一个使人震惊的体验。这种体验不仅使听众感受到了，演奏者也感受到了，他们看着乐谱演奏时，犹如在回顾他们亲身经历的活生生的历史。"有一位苏联音乐评论家写到："肖斯塔科维奇的《第七交响曲》的深远意义超出了仅仅是音乐世界的范围，它已经成为我们人民的所有的文化的实体，一个具有重大政治、社会意义的真理，一个进行斗争夺取胜利的动力。"这部交响曲的演出也深深地触动了苏联音乐界以外的广大人士，著名的苏联党和国家领导人雅罗斯拉夫斯基曾经以《战无不胜的大无畏精神的交响曲》为题，在报刊上发表了文章。著名作家阿列克塞·托尔斯泰在文章中写到："《第七交响曲》是从俄罗斯人民的良心中呈现出来的，他们毫不动摇地接受了与邪恶势力的拼死搏斗。"他称这部交响曲是"人性的凯旋"。的确,肖斯塔科维奇的这部作品以其逼真的写实手法和震撼心灵的艺术力量,既揭露了法西斯敌人的凶恶和残暴,同时也表达了苏联人民捍卫祖国的钢铁意志。它就像一座不朽的音乐纪念碑,永远铭刻在人们的记忆里。这部作品反映的是真实的情况,它的历史状况就是这样。有些后人把它歪曲成是反对斯大林的,是完全无中生有,是完全歪曲历史的。现在我们放一段录像,就是当时我同电视台合作准备的录像,前面有几位音乐界人士对这部交响曲的简单评述。

(录像片内容)画外音:

著名作曲家吴祖强说:肖斯塔科维奇的这部交响曲是很有名的一部作品,可以说是第二次世界大战,特别是反法西斯战争里最重要的一部管弦乐作品。整个交响曲共有 4 个乐章,从这一点看还是传统的结构。但他这 4 个乐章的写法在过去交响曲作品里是罕见的,特别是第一乐章,完全是一种交响诗的写法。它可以独立地作为一个作品存在,但是为了体现他全面的构思,他还是把它写成了 4 个乐章的交响曲。因此第一个乐章的结构特别庞大,独立演奏要半个小时左右。他里边虽然用的是传统的奏鸣曲式快板的写法,但是在展开部这一部分的写法,很不一般,用了一个非常庞大的插部。也不能说代替,因为他后头还是有很多的乐思发展,像传统展开部的一些功能的体现。但是庞大的插部作为展开部的开始,是很少见的做法。而且他用的是一个完全新的主题,他的这个主题非常有特色,很容易让听众记忆,是作为表现法西斯对于苏联的入侵。所以这个主题后来常常被人叫做"入侵"的主题或者说"侵略"的主题,代表法西斯的形象。

(音乐)……

著名作曲家杜鸣说:对这种邪恶力量的很大气势的表现是反映了当时第二次世界大战实际的情况。从音乐上来看,这11 次变奏,一次比一次更加强,而且运用了整个乐队里的管弦乐法的各种手段。我觉得,同时肖斯塔科维奇又是一个非常出色的、表现戏剧性对比的音乐大师。他在这部交响曲中,既表现了敌人的进攻非常残忍、冷酷,同时在后边的广大篇幅中,也表现了苏联人民对未来充满了信心,对未来充满超凡的乐观主义的精神。

双簧管表现一种悲伤,田园性质的、歌唱性的音乐,似乎是对过去美好生活的回忆,同时对今后的和平与幸福生活的憧憬,这方面我觉得表现得惟妙惟肖。

音乐学家黄晓和说:这个作品,肖斯塔科维奇在写作时写得很快,战争刚开始的两个月左右,9月底,他就急急忙忙地完成了3个乐章。后来迁到临时首都古比雪夫后,他最后在1941年12月底把这个作品完成。完成以后,第二年3月5日,就首次在古比雪夫首演,马上在全苏联引起了强烈反响。很快地就把这个作品摄制成微型胶卷,用军用飞机经过伊朗、北非、南美最后把它运到了美国。后由当时著名的指挥大师托斯卡尼尼亲自指挥美国国家广播乐团演出。当时整个美国几百个电台同时转播,不仅美国能收到,整个的澳洲、南美洲,可以说世界各国都能收到。这场演出以后,反响极其强烈,而且这个作品不仅由托斯卡尼尼一个人指挥,后来紧接着许多的著名指挥家如库谢维茨基、斯托科夫斯基、奥曼迪等等很多世界第一流的指挥家都纷纷演出这个作品。就光是 1942－1943 年这一个年度内就演了 62 场,可见这个作品的这种轰动效应。这部作品确实可以作为不朽的音乐纪念碑,永远铭刻在人们心中。

（音乐继续直至结束）

（演讲时间:2001 年 9 月 23 日）

（录音整理:韩宁）

李璠

七弦琴在中国历史文化中的位置

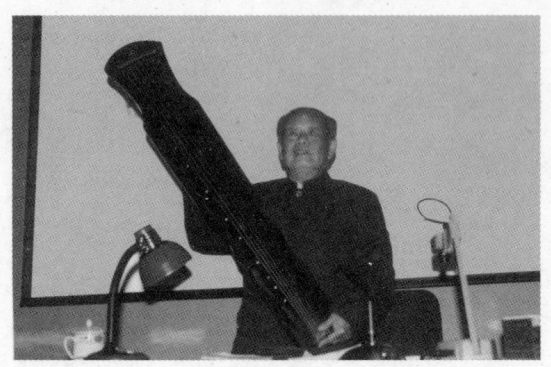

　　李璠，男，1915年12月生，湖北大悟人。1941年毕业于四川大学农学院。曾任四川和东北农业大学副教授、中华教育文化基金会研究员、中科院遗传研究所植物遗传室主任、北京市委会小麦科技顾问。现任中国科学院遗传研究所研究员。

　　1985、1986、1987、1988年先后获得中科院先进集体奖、先进个人奖、中科院特等奖、一等奖、三等奖、山东科委二等奖，并获国家计委、经委、科委及财政部表彰。1995年获得老有所为中科院先进个人奖。1991年国务院颁发"在研究科学事业做出突出贡献证书和政府特殊津贴"。专著有《中国栽培植物发展史》(科学出版社，1984年)及有关著作论文多篇。在培养科技骨干和研究生方面做出一定贡献。

大家好! 很高兴今天能有这样一个机会和大家相见。我来自中国科学院遗传研究所,主要研究遗传进化,也就是研究中国农业的起源和栽培植物的起源,古琴则是我的业余爱好。据我所知,在我之前,已经有几位专家在这里做过讲座,如陈长林、李祥霆和许健,后两位都是音乐学院的古琴教授。他们从开始就研究古琴,我和他们不一样,我是业余爱好,不是真正研究古琴的,但是我非常喜欢古琴,到了只要有一张古琴就满足了的程度。我有一个老朋友,他是英国剑桥大学很有名气的教授,现在已经90多岁了,我们是很要好的朋友,他到中国来之后就爱上了中国古琴。他来中国本来是搞中英文化交流的,但是他了解了中国传统文化之后,买了一张很好的古琴,回到英国之后,就专门研究中国唐代音乐。他来的时候才30几岁,现在90多岁了,仍未结婚,就只爱一张琴。关于古琴,好多人都不认识它,有些电视和电影里把古琴放错位置,出了一些笑话。我今天介绍古琴,只能说是浅谈。古琴在中国传统文化中占有重要的位置,前面有好多专家学者都已经介绍过,我只能是谈一谈我对古琴的认识。

　　先简单介绍一下古琴。现在所说的古琴,就是有很古老历史的琴。它有七根弦,又叫七弦琴,琴身用的是梧桐木,弦是丝弦。关于丝弦,以前杭州有一个回回堂,从唐朝开始一直到文化大革命都在做七弦琴的琴弦,但它在文化大革命中被毁坏了,现在要想恢复丝弦很不容易。因为做古琴用的是丝弦和梧桐木,所以琴又叫丝桐。现在叫它古琴,是因为它历史很古。古琴的历史很悠久，中华民族的历史有多久，它的历史就有多久。相传在伏羲时就有了，后来神农、黄帝以至历代君王，他们没有一个不会弹琴的。我们想想神农、黄帝那个时代，除了种植五谷果蔬，同时他们也需要娱乐，他们就拿一个木头板子，绑上几条绳子，那时的绳子是什么样呢？大概就是皮筋吧。后来到了黄帝时期就有了丝，就用丝来做丝弦，丝弦一直用到今天。就是说很简单的一个板子，在上面绑上几条丝线来弹，这就是最早的琴了。开始究竟是几条弦呢？在尧舜的时候是五根弦，后来到了文王、武王的时候又加了两条弦，这就是七条弦，就叫作七弦琴。

据有关文献记载，从有文字的时候琴就出现了。就是说，在夏禹以前的石器时代，还是用石头做锄头时，就有了琴，同讲座丛书时也有了医，古书有记载。这两种东西：中国的医和中国的琴，它们的历史都是很悠久的。琴书上说："琴之为器，创自伏羲，成于黄帝，法象乎乾坤，用宣乎妙道，古之明王君子皆精通焉。昔者师襄鼓琴，则有游鱼出听，六马仰沫，况于人乎。自古明王所以正心修身齐家治国平天下者，全赖琴之正音是资。则琴之为道岂小技哉！而以艺视琴道者则非矣。"历代有修养、有学问的人，无论干什么行业，特别是文人，像苏东坡、文天祥、柳子厚，都会弹琴。

每个民族都有自己的音乐，琴是代表中华民族音乐的。中国华民族有什么音乐呢？我们在电视上看的管弦乐队，那是外国来的；代表我们中国的音乐是什么呢？是胡琴吗？是琵琶吧？这都是少数民族创造出来的。《三字经》上写的清楚，"匏土革，木石金，丝与竹，乃八音。"匏是少数民族吹的笙，土就是埙，恐怕有人没有听到过，我带来给大家看一看，它也是一种音乐，是中国的八音之一。现在音乐学院有人会吹，各种调子都吹得出来，能和七弦琴配合。木是敲的木鱼，石是磬，现在考古出土的石磬是个新发现，它们大小不一，一排排和编钟差不多，可以打出各种音乐调子来。关于金的东西有很多，如编钟。再就是丝桐制的琴和竹子制的箫。八音是古代的八种音乐，在众多的音乐当中，最有代表性的是庙堂音乐。从前的庙堂里举行祭祀的时候，就有琴和瑟，小者为琴，大者为瑟。瑟是五十根弦，后来瑟太大了，不好带，就把它变小了，就是电视上见到的筝，筝是已经变小了的瑟。在众多的音乐当中，琴是最能代表中华民族音乐的。西洋音乐最有代表性的是小提琴、钢琴，咱们的就是这个琴，这是我的认识。

大家都知道，中国古代的经典著作六艺，包括《诗》、《书》、《礼》、《易》、《春秋》和《乐经》，其中最重要的一部《易》是中国的古典哲学，现在全世界都研究它，它是一部很伟大的著作。《易》里天文地理，无所不包。古琴就是音乐当中的一部《易》，就像哲学一样。怎么说呢？说"无极生太极，太极生一，万物起于一。"一是宇宙中最基本的构成单位。以前我听钱学森教授做报告时，他说，宇宙中最基本的单位是什么呢？是一点"·"，还是一道"—"？他说物理科学研究中最基本的单位不是一点，而是一道。我听了之后觉得很有意思，中国最早研究宇宙起源的东西是什么？就是这么一道"—"，万物起源于一道"—"，这就是八卦中的第一卦，即乾卦。"无极生太极，太极生两仪"，一横弄断了就是两道了，就是坤卦"– –"。外国人说中国没有科学，他贬低了中国古代的文化。这里面仔细研究还是大有文章的。有的人说要琴做什么呢？拿到博物馆去陈列吧，它算什么音乐呢？其实琴也是很有味道的、有道理的。中国要有一种音乐，一种代表中华民族的音乐，就是这么一道"—"。我今天就谈琴是怎么造的，很像"—"。有许多同志知道琴，但还有许多同志没有见过琴，有的人琴、筝和瑟都区分不开，其实琴就是一道，把它剖分成两下，就是上面一道，下面一道，上面是天，下面就是地了。上面是乾卦,下面是坤卦。我们的祖先研究音乐是大有文章的。中国音乐史书上历代都有记载:琴的形制,上面是天,下面是地,十三徽代表十二时辰……那就是说七弦琴本身就是《易》的具体形象化,细研究里面的文章多得很,现在这里不能展开来细说。

咱们祖先提出宇宙起源于一,万物起源于一,一生二,二生三,三生万物,万物负阴而抱阳,冲气以为和。从此往后,产生了好多东西,许多名堂都在这里头。因此,两仪、四象、八卦,排列之后万事万物都可以得到解释,由两仪、四象、八卦,到最后这七根弦,你想弹什么曲子就弹什么,变化大得很呢,这也是一部《易》。我喜欢它所以赞美它,它确实非常有意思,足以代表中华民族的音乐。古琴的内容非常丰富。古琴从这种意义上说是很有意义的音乐,它有气派,历史悠久,内涵非常丰富,代表中华民族泱泱大国之风。现在文化部也开始重视它了,联合国教科文组织将把它列为世界文化遗产。但是多少年来,它没有位置,只有一些文化人和像我们这样的业余爱好者喜欢它。现在连联合国也承认它了,它在中国音乐和世界音乐中都占有了一席之地。

下面我说一说琴的声音。对于我们喜欢琴的人来说,它美妙得很,在不喜欢的人来说,它就像弹棉花,没啥听头。我国从孔夫子时就倡导礼乐之教,一个国家无论在多么艰难的时候也得懂得礼,所谓非礼勿听,非礼勿视,非礼勿言,非礼勿动,克己复礼。光礼还不够,还要有乐,为什么要乐呢?要有修养就得有乐,孔夫子梦见周公,他做梦都想回到西周,那时家家都弹琴,唱歌,讲究乐,就像现在在外国家家都弹钢琴一样。

弹琴有什么好处?你只要一弹琴,心就安静下来了。现在人心浮躁,弹琴就让人不一样了。所以你看凡是弹琴的都比较平和,比较温和,因为这是礼乐之教,现在要好好宣传它了。我

讲 座 丛 书

说的礼乐之教,礼是培养人的风格态度,风格要培养好要通过乐教,既然是乐教,如果只攀比好听,搞靡靡之音,那还谈什么乐教呢?一弹就想入非非,不行。中国古琴有一个特点是其他乐器没有的:古琴是弹给自己听的,弹琴先入静,不能有邪思妄念。什么人都可以学,八十岁的老头也可以学,修养嘛,养老嘛。几岁的孩子也可以学,不是少年宫的一个五岁的小朋友弹琴得了奖吗?它本来就是教育性质的,和我们上学校老师按风琴教我们唱歌一样是美育。美学教育就是培育人的素质教育,所以七弦琴是一种美育的具体措施。

在西周时候,家家都有琴,小孩子都弹琴;到了春秋战国以后,秦始皇焚书坑儒,一下子把文化都毁了,所以礼崩乐坏,也不讲礼了,乐也没人学了,所以现在六艺只剩五艺——《诗》《书》《礼》《易》《春秋》五种,没有《乐经》。《乐经》的乐理讲些什么,我们现在不知道,但是我们今天从各个方面还能了解一些,比如说《礼记》里有《乐记》;太史公也谈到一些关于琴的问题。《礼记·乐记》说:"故先王之制礼乐,人为之节,礼节民心,乐和民声,政以行之,刑以防之,礼乐刑政,四达而不悖,则王道备矣。所谓安上治民,莫善于礼,移风易俗,莫善于乐。"蔡邕在《琴操》中说:"琴所以御邪僻,防心淫,以修身理性,返其天真也"。现在社会很复杂,活到一百岁的人很少了,按照中国的古文化传统,人活到一百二十岁是正常寿命。现在看哪个活到一百二十岁?很少,没听到过。嵇康说人活到千百岁没有问题,我们今天在思想、身体上应该怎样安息,劳逸结合,怎样安排才能做到?晚上睡觉都不安心,难得安宁,那怎么长寿呢?自己把自己就整垮了。汉武帝时有个人叫窦公,在天台,一百八十岁,汉武帝知道了,想长生不老,就把他找来,问他有什么秘诀。他说他什么也不知道,就只知道弹琴,弹一辈子琴。他住在皇宫吃得好,喝得好,回去不久就死了。弹琴可以养生。小提琴虽好，声音大，贝多芬拉拉，把耳朵给拉聋了。中国的音乐不是不能做到大声音，咱们少数民族的胡琴、二胡不是响得很吗？琴的声音比较小，但韵味好。我带来两张琴，一张是古琴，是元朝的，一张是新琴。什么叫古琴，什么叫新琴，大家都认识一下。我们是初学，一、两千块钱的琴就可以。你学会了，以后有缘份，自然有好琴。

琴里面文章可多了，天文、地理、宇宙、人生，都在里头，中国的琴就是一部哲学。也有人说应该叫作琴文化，叫作道，道德的道。琴道，有如喝茶有茶道。茶有茶文化，琴也有琴文化。琴，好多外国人都喜欢它，我刚才说的我那个好朋友，剑桥大学的，他连老婆都不娶，就是一张琴，爱成那个样子。所以中国琴有中国琴文化。

昆曲据说要办个昆曲学院，古琴将来也要办学院，我们现在的领导也认识到这点了。要把乐学好了，就能修身治国，即所谓修、齐、治、平。人民的修养好了，我们的国家就好起来了。《史记》太史公曰："上古明王举乐者，非以娱心自乐，快意恣欲，将欲为治也。正教者皆始于音，音正而行正。故音乐者所以动荡血脉，流通精神而和正心也。故宫动脾而和正信，商动肺而和正义，角动肝而和正仁，徵动心而和正礼，羽动肾而和正智。此谓五音之和入耳而感动于心肝脾肺肾，而得仁义礼智信之正也。得其正则疹疠之气不入而寿矣。是琴德具有寿者相也。荀子亦谓乐行而志清，礼修而行成，耳目聪明，血气和平，是皆养生之谓也"（《宋史·乐志》）。所以我就谈一谈琴在我们国家，在我们历史上的位置。

我们讲孔夫子，他的理想是希望这个国家的人民以礼乐来治国，和平外交。现在我们正是这样的了，礼乐治国。历史上写中国是礼乐之邦，乐最有代表意义，所以周总理说昆曲好得很呢，昆曲是戏曲当中的兰花。我说琴也好得很，七弦琴是音乐当中的兰花。你只有学了之后，才能够理解，不会弹，你还不能一下子理解，它的声音讲究韵味，不追求好听。我弹一曲《平沙落雁》，我只追求自然界雁群在秋天飞翔的味道，我自己就好像……掺入它们当中，浑然一体了。我要弹出那种味道来，自己有那种意境，那样一种感觉，我就和这个琴合二为一，这就是天人合一，你想想那是个什么境界呢？还能胡思乱想吗？不可能。所以这就是修身养性，返其天真。把自己心里弄得非常的安详、安静，进入我说的"空无妙有"的状态，人就空了。但并不是消极，我这是有所不为而有所为，是空并不空。所谓空，就是把身外乱七八糟的东西都空了。琴里头修身养性就是这样的，你也能有这样的境界。我今天回到家里弹一弹琴，把自己空了，睡觉也不做梦了，做梦也做好梦，第二天上班精神很好，不是更好吗？做好本职工作，效果更好。弹琴如果有一点私心杂念，就弹不下去，至少弹琴的一点钟、两点钟你会空了。你每天这样空一下，就是养生之道，如果你能全部把自己空了，那就成"神仙"了。

　　琴的声音是清微淡远，声音很小，韵味很好，弹琴的时候是自己在享受，改造你的思想境界。空了之外，还汲取一些营养来养你的大脑。一个大脑白天得办公，好好地吸收些营养。除了物质世界之外，还要有精神生活呀。对于精神世界，这个琴就很好。我以前建议过，希望小学里开古琴课，代替音乐课，小学生学这个多好啊。在少年宫有几十个学生，都是小孩，从五岁到十岁，都在学琴。我们今天带来个小朋友，才十一岁，一会儿让她弹，看她弹得多好。会琴的人都很肃静、很安详。人首先要培养的，就是乐礼之教。中国的友人预言，中国的和平外交、中国的思想教育，是在马列主义指导之下的。马列主义是个大海，什么好东西它都要，儒家思想它也要，因为是中国的文化传统。现在都提中国文化，将来这种思想在世界上会起作用的,会起很好的作用的。现在我们正在提倡礼乐教育,以法治国,以德治国,我的理解就含有这种儒家思想的因素。继承传统,文化传统不能丢。马列主义是继承传统,所以现在我们在电视上看到,少数民族音乐都让它蓬勃发展……

现在我说琴本身,琴的制造、琴的作用。孔夫子是天天弹琴,把琴拿来当作做功课,就像天天读书一样,天天都整理自己的思想,朱熹继承孔夫子,半日读书,半日静坐。周公之后是孔子,到宋朝就是朱熹,这些人都讲究这种修养。弹琴是最好的气功,它能使人气血宣活,最后就达到一种境界。人和自然界浑然一体,高度协调,这就是天人合一,这种自然状态,有什么不好呢?别的音乐很紧张,一般的音乐有鼓动、有刺激的,琴恰恰相反,它要你安静下来,弹琴不为了追求好听,真正的琴,讲·座·丛·书弹得自己进入入静状态,人就是天地的中心,你说宇宙的中心在哪里?

琴的构造,包涵宇宙人生。一张合乎规格的七弦古琴,要具备九德:一奇,即泛音轻快,散音透澈,按音清脆,走音平滑;二古,恬淡中有金石韵,清浊适中;三透,清越响亮而不咽塞;四静,琴面弧度平正,任何一点上不起砂音和飘起的尖声;五润,发声不躁,韵长不绝,清远可爱;六圆,声韵浑然不破;七清,容易听清楚,少杂副音;八匀,散按、与十三徽按泛的音色统一而无差异;九芳,愈弹而声愈出,无弹久声乏之病。一张七弦古琴具备这九种条件即九德,从美学角度看,是美的。琴音色之美,嵇康在《琴赋》中描写得非常耐人寻味,他说:"惜惜琴德,不可测兮;体情心远,邈难极兮;良质美手,遇今世兮;纷纶翕响,冠众艺兮;识音者希,谁能珍兮;能尽雅琴,唯至人兮。"

古琴气韵是高雅的,在美学上是尽善尽美的,真可谓音乐中的兰花。

琴在美学上的意义,还可以通过成连如何引导伯牙到海上感悟而作《水仙》操的故事,说明琴之美在于移情。如不能移情,何美之有?大还阁伊桓序曰:"昔伯牙受琴于成连,三年不成,乃与牙俱至海上,连托故而去,牙延望无人,但闻海水洞涌,林岫杳冥,怆然感曰,先生能移情我情哉!援琴歌水仙之曲,遂为天下妙。乃知琴之道,通神明,协上下,以天授而非以人授;以神合而非以音合,不徒求之宫商律吕间也。"

美学教育的例子还很多。你琴弹得好,水里的鱼都跳出来听你弹琴,正在吃草的马听到你弹琴,就扬起头来听你弹琴。这都是美学的教育,形容它感动人,也感动动物。我的嗅觉不好,闻不到香味,我有时候在屋里弹琴面前摆一盆茉莉花,我这一弹,香味我能闻得到了。你说怪不怪呀,这是我的亲身体会。另外一个可能不确切。我弹琴,桌子上摆一盆文竹,一弹琴,文竹的叶子就一动一动的,是不是桌子在动就不敢说了。但那个香味是确实的,开始以为自己是唯心主义,我搞了几次,不弹琴我闻不到香味,一弹琴香味就出来了。它能够感动物质。有个医学家研究琴的声音,哪种声音能够感动人,哪种声音能够感动物。并不迷信,浑然一体嘛,植物、动物都一样,身体发出的东西都融合在一起了,是可能的,可以解释的。这是说明养生、美学各种东西到现在其实是发展了。我弹琴只能弹给自己听,琴能使我入静,心灵美,起到养生效果。

我今天带来两张琴介绍。这张琴是尼龙钢丝弦,另一张古琴是丝弦,让你们认识一下,有机会看一看。你们看钢丝弦弹得多响亮啊,演奏效果要好一些;丝桐就没有这么响了,但音色韵味好一些。我在前面说过,弹琴不是为了追求好听,追求的是修身养性,你们弹了就知道了。丝桐的丝开始弹不行,但是弹了多少个曲子、多少年以后,你就会理解了。

古琴发展到今天分成两个阶段。有人说丝桐就该拿到博物馆里去陈列了,早就该被淘汰了,这是走极端。说钢丝弦不是七弦琴，是钢丝弦琴，也是走极端。只要对国家建设好，对大家素质修养教育好，就都提倡吧。我是喜欢弹丝桐，从前就是弹丝桐。最早的时候，弹的是古琴，现在讲究唐朝的琴，唐琴、宋琴，我以前老师那里都是那种琴，那种琴弹起来，韵味真是妙不可言。总而言之，它是属于美学素质教育，是我们中国的文化传统，它跟旁的音乐不一样，你看它的历史记载那么丰富，我们不能把它丢了。我就谈到这儿吧，咱们来弹琴吧。

请小朋友王堃如来弹一曲《流水》。

（《流水》琴曲）

清朝张孔山是大琴家，给本曲加了七十二滚拂，把水声扩大了，在我们国内都是弹这个曲子，现在卫星转播的也是这个曲子，是老琴家管平湖弹的。这个曲子是比较高层次的曲子，一般琴弹得相当熟了之后，老师才让学这个曲子。我们这个小琴家，你们看她现在把《流水》弹得相当好。在琴曲里有高山流水，阳春白雪。学琴的人都喜欢这个曲子，对于懂琴的人这是美的享受，众位开始听，有点不习惯，慢慢地听就觉得有味道。

讲座丛书

刚才《流水》写的是长江万里图，杜甫的诗："花近楼台伤客心，万方多难此登临，锦江春色来天地……"弹流水的上游到锦江，那七十二滚拂是经过三峡。关于三峡，李白写的一首诗和郦道元写的《水经注》，都写得很好。李白的诗大家都很熟悉："朝辞白帝彩云间，千里江陵一日还。两岸猿声啼不住，轻舟已过万重山。"这是三峡。琴曲到后边，就出了三峡，江面开阔得很。李白到黄鹤楼送客："故人西辞黄鹤楼，烟花三月下扬州。孤帆远影碧空尽，唯见长江天际流"。诗情画意都在里头。现在我弹《平沙》描写秋天，就是写雁群在万里长空飞行和起落情况，是个中小曲子。《平沙》要扩而大之就是《秋鸿》，明朝大琴家朱权作的那个曲子，很长，像二万五千里长征，气势磅

磺。中国琴的曲子非常丰富。《平沙》是学琴的人都要弹的,雅
俗共赏。

(演讲时间:2001 年 10 月 21 日)

(录音整理:吴澍石)

高登义

可爱的地球

　　高登义，中国科学院大气物理研究所研究员，中国科学探险协会常务主席。他是我国知名的高山、极地、海洋气象科学考察专家，我国第一个完成地球三极（指南极、北极和青藏高原）科学考察的人。高登义的研究集中在地球三极地区与全球气候环境变化的相互关系上。先后撰写了数十万字的科学专著，在《中国科学》、美国《天气月刊》等中外学报上发表论文30多篇。曾获1987年度国家自然科学一等奖，1986年度第二届竺可桢野外科学工作个人奖等，荣立1989年国家南极考察委员会二等功，被评为1995年全国先进工作者，1997年全国优秀科技工作者。1998年作为中国雅鲁藏布大峡谷的科学考察队队长率领全队实现了人类首次徒步穿越雅鲁藏布大峡谷科学探险考察。叶笃正、陶诗言、刘东生和孙鸿烈院士在评价高登义同志的工作时曾称他是"我国大气科学野外考察的先行者"；"他敢于创新，不断开辟科学新领域"；"他所坚持的这种注重实地调查和综合研究的方向，对于发展地球科学是重要的"。

亲爱的同学们:今天我来讲一讲"可爱的地球",让我们认识我们的地球,同时也认识我们自己。首先,我要提两个问题。第一个问题,地球是什么形状?我想,同学们会很容易地回答这个问题:地球是椭圆的球体。第二个问题,是地球绕太阳转动还是太阳绕地球转动?(同学们回答:地球绕太阳转动)

好!我为什么要问这两个问题呢?这两个问题现在看起来很简单,同学们都能正确回答,但我们人类的祖先认识到这两点却花了两千年,而且有的科学先驱者为此献出了生命。

过去,我们的祖先是这样描述地球的:天是靠地撑着的,地是浮在水上的,水下有一个大乌龟,叫做巨龟,它把地顶着。这个巨龟的眼睛动一动,大地就会震动(看来,地震早就存在了)。这就是中国古代对地球的认识,你们听起来会觉得好笑,可当时就是这样认识的。与中国古代文明差不多的是古希腊。古希腊认为:陆地外边是海洋,海洋外边是深不可测的深渊。这就是古希腊人对地球的认识。

那么,到底地球是个什么样子呢?

从公元前 584 年开始,航海探险家们就想要探一探陆地外边是不是海洋,海洋外边是不是无限的深渊;陆地是不是浮在水上,水下是不是有一个巨龟。那时,比较常用的探险工具就是船。探险家们划着船,向着一个方向不断地前进,看看地球究竟是个什么样子。

公元前 584 年,勇敢的希腊航海探险家泰勒斯不怕坠入深渊,从希腊出发,一直向南走,不仅没有坠入深渊,而且还发现了一个新大陆——埃及。自从他发现埃及大陆后,这种航海探险的风气就盛行一时。

公元前 384 年到前 362 年之间, 世界上有一位有名的科学家叫亚里斯多德,他提出一个关于地球的假说。他认为,地球是一个球体,球体表面上有陆地和海洋,地球表面以外被空气所包围。他的假说首先为探险家麦哲仑率领的船队所证实。

公元 1519 年春,西班牙国王命令麦哲仑率领 265 位海员从西班牙的圣罗卡港出发,他们乘"维多利亚号"船越过大西洋,沿着巴西海岸一直南下,进入南美洲与火地岛之间的一个海峡 (以后称其为麦哲仑海峡),然后进入太平洋,到达菲律宾。在战争中麦哲仑被菲律宾的土著人杀死。余下的船员乘"维多利亚号"船继续前进,又经过两年时间,绕回到了出发地——圣罗卡港。这次航行第一次证实了地球是一个球体。

讲座丛书

从公元前 362 年亚里斯多德提出地球是球体的假说到公元 1522 年由麦哲仑率领的船队证实这一假说,前后将近两千年的时间。可见,要确认地球是一个球体,仅此一点,就是很不容易的事。

现在来看这个假说,似乎很容易理解。无论你从地球上任何一点出发,只要你一直向着一个方向前进,原则上你都能回到你原来出发的地方。但这却是古人花了至少两千年才证实的。

关于地球围绕太阳转动的问题, 认识这条规律更不容易。在早古时代,由于"神教合一",教会宣扬:教皇是统治世界万物的,当然也包括太阳、月亮等星体。从这点出发,为教皇提供生存条件的地球,当然也是至高无上的。因此,只能是太阳围绕地球转动,这就是所谓的"地心说"。科学家哥白尼首先提出了"日心说",即地球围绕太阳转动。其后,布鲁诺发展了哥白尼的"日心说"，认为宇宙是无限的，地球绕着太阳转动，地球是太阳系中的一个成员，太阳系只是宇宙系统中一个小小的天体系统；他主张人们有怀疑宗教教义的自由。结果他被教皇处以死刑，烧死在罗马。

在哥白尼去逝后的第9年，他的著作《天体运行论》才得以出版。这本书就是讲述地球如何围绕太阳运转的。从此，人们逐渐认识到地球如何围绕太阳运转，逐渐认识到地球仅仅是太阳系中的一个星体，而太阳系则是银河系中的一个星系，银河系又仅是宇宙中很小很小的一部分。正所谓"天外有天"，宇宙之大，无边无涯。

我们的祖先认识我们地球的这些规律花了这么长的时间，付出了这么大的代价，足见认识地球规律之不易！

同学们，你们在今后认识地球规律的过程中也会遇到困难，也会付出不同程度的代价，但不要怕。"天下无难事，只怕有心人"，只要你诚实地接近地球，亲近我们的地球母亲，你就会逐渐认识地球的规律。

前面我讲了认识地球母亲之不易，下面我想讲讲"地球村"。

所谓"地球村"，即是指地球是一个小小的村落，我们人类仅是这个地球村里的一个成员。人类作为地球村里的一个成员，必须遵守地球村里的各种规章制度，其中最重要、最主要的规章制度就是地球自身运行以及地球在宇宙运行中的客观规律。一旦违背了上述规章制度，首先就会受到地球村"村长"的惩处。"村长"即是地球母亲。

举几个例子。1990到1991年，世界上发生了一件违背地球村规章制度的事，那就是美国发动的中东战争。战争燃烧了很多油田，浓浓烟火，连续了将近两年，造成中东上空乌黑一片，阻隔了人们赖以生存的阳光，使得中东地区这段时间的月平均气温降低了摄氏 7 到 10 度。中东战争不仅使中东人民遭受苦难，甚至危及与中东相同纬度的珠穆朗玛峰（简称珠峰）地区。珠峰位于北纬 28 度、东经 97 度附近，正位于中东地区的东侧。一年四季中，除了夏季 7 到 8 月在珠峰上空盛行偏东风外，其他 10 个月都是盛行偏西风。在这 10 个月中，珠峰正好处于中东地区的下风方向，中东油田燃烧排放的污染物被西风吹到珠峰的上空，严重污染了珠峰地区的环境。当时国外曾经报道在珠峰地区发现"黑雪"。

在这段时期，我们监测到了珠峰北坡绒布河水环境被严重污染的情况。在 1991 到 1992 年，珠峰北坡海拔 5000 米的绒布河水所含 13 种化学元素的浓度突然增加，比 1975 和 1980 年增加了 5 到 10 倍，其中，对人有毒害的砷元素猛升了 10 倍，更令人担忧。1993、1994 和 1996 年的监测表明，自 1993 年以后，珠峰北坡绒布河水中所含这些化学元素的浓度突然下降，恢复到了 1990 年以前的正常状况。

讲座丛书

上述情况说明，地球确实是个小小的村落，无论地球上任何一处发生大的环境事件，都会影响到我们地球村。珠峰是地球村之最高处，自然"树大招风"，首当其冲，受影响最大。

可见，我们要牢牢记住地球村的概念。在这个村里，任何人都是地球村里一个小小的成员，都要遵守地球村里的各种规章制度，否则，就会干出诸如"搬起石头砸自己脚"的傻事。那些发起中东战争的人，不是地球村里的好公民，他们破坏了地球村的环境，必将受到地球村里规章制度的惩处。"不是不报，时候未到。"

我曾经写过一本"与天知己其乐无穷"的科普书，它告诉我们，天者，自然界（也即宇宙）也，我们人类要健康地成长与发展，必须与自然界结为知己，才能快乐无穷。所谓与自然界"结为知己"，当然首先应遵从自然界本身的规律，并以此规律来规范我们人类的行为；只有在此前提下才有可能逐渐与自然界结为知己。比如说，对于地球的本来面貌，我们人类千万不要任意"改造"它。诸如乱砍森林，破坏植被状况，会加速沙化，增加旱涝灾害等等。

上面谈到了认识地球的困难，谈到了遵从"地球村"规律的重要性，谈到了"与天知己"才会"其乐无穷"。下面想讲一讲地球上的一些有趣的故事，就叫做"地球奇趣"吧。

首先，讲讲珠峰顶上的"觇标"的故事。

什么叫"觇标"呢？觇标是测量高程用的一种目标物，一般在三角架上竖立醒目的目标物。

1975年春，当9名中国登山队员登上珠峰顶时，他（她）们把一个用合金制作的三角架（在三角架的顶部有一红色的圆柱体）竖在了峰顶，为国家测绘局的专家们提供了聚焦测绘的显著的目标。经过测绘专家在6个6000米以上的山头上交汇测量和计算，最后得到珠峰的精确高程为8848.13米。1976年，国家测绘总局向世界公布了珠峰的最新高程，之后，大约经过10年的时间，世界各国出版的世界地图上都采用了8848米作为珠峰的高程。

同学们，珠峰的这个精确高程来之不易啊！攀登顶峰的突击队长邬宗岳在从8100米到8500米高度的途中不幸遇难。它再一次说明，要认识珠峰有多高也是一件非常不容易的事。

1988年，中日尼三国登山队"双跨珠峰"成功时，他们发现，竖在珠峰顶上的三角架不见了。同学们，你们想想，它到哪里去了呢？（大家议论纷纷，没有回答）有人能回答吗？（有人说，大风吹走了）同学们，我先不告诉答案，我先提供你们思考的背景材料，你们思考后再回答我。

1975年秋至1982年期间，外国登山队从珠峰的南坡登上顶峰时都见到了三角架,而且还与三角架合影留念,作为他们登上珠峰顶的见证。例如,1980 年 8 月 20 日,意大利登山家 Messnen 单身一人登上珠峰顶后,他曾在日记中写道:"走着,走着,我抬头一看,突然,金属三角架已展现在我的眼前,我惊喜若狂,这是世界最高峰的标记,是 1975 年中国人测量珠峰时设置在这里的标记,是各国登山家们登上地球之颠的见证人,它也是我最忠实的朋友。"1982 年,外国登山队登上珠峰顶时,他们见到峰顶的三角架只有 70 公分左右高了。同学们,这个三角架原来的高度是 300 公分,那就是说,有 230 公分埋下去了。对吗?(这时,有人喊,埋在珠峰顶上了)说得对,应该是埋在珠峰顶上了。但我还要问,有什么根据呢?(大家交头接耳,但无人回答)

同学们,我来说我的"根据"吧!首先声明,直到现在,我没有见到过是否有人在峰顶"挖地三尺"而见到了三角架的报道,因此,我没有直接的证据。我是"据理推证",就像你们证明一道几何题一样。根据已知条件,求证期望的结论。

已知条件是:1.1976 – 1982 年,三角架仍然兀立在峰顶;2.1982 年已埋下去 230 公分。3.1988 年三角架不见了。求证:三角架哪里去了?

首先,三角架肯定不是被大风吹走了。因为,在珠峰顶峰高度的风速,除夏季和春秋两季中的少数日期外,都在每秒 20 米以上,观测到的最大风速在冬季出现,达到每秒 40 多米。如此大的风速,要是能吹走三角架,早该发生在 1975 年到 1976 年的冬天。

那么,我说它是埋在峰顶了的根据是什么呢?根据我们于 1966、1975 和 1980 年春在珠峰北坡 6000 米到 7007 米高度之间的气象观测资料。我们发现,在晴天的中午,在北坳 7007 米的冰面上,空气温度可达摄氏零上 3 度到 5 度。据此,我推测，在珠峰山顶附近，在春季晴天的正午，气温也可在摄氏零度以上。由于在珠峰顶部有 10 多米厚的冰(1975 年测量的结果)，金属三角架被固定在冰层中，因此，在晴天的正午，冰面上的气温高于零度，加之金属三角架吸收太阳辐射的能力很强，使得接近金属三角架的三个支点处的气温更高，冰被融化，金属三角架下沉；夜间，气温远远低于零度，融水再次冻结。如此反复，最后，金属三角架被埋在了冰中。

这就是我的推测，同学们可以思考一下，是否有它合理之处。

其次，我想给你们介绍一下关于南极洲大陆形成的推测。这里，我先讲几个基本概念。什么叫南极？什么叫北极？按地理学的概念，南纬 66 度 33 分以南的地区叫南极，确切地讲，应叫南极地区；北纬 66 度 33 分以北的地区叫北极地区，也叫北极。我们如果把南极和北极地区的地图按相同的纬度和经度重迭起来，并把北极地区向东转动 90 个经度，就会发现，南极洲与北冰洋基本上能重合起来：形状相同，面积相近，且北冰洋海底的深度分布与南极洲大陆海拔高度的分布几乎为互补。据此，有人提出了南极洲大陆形成的"假说"：在很久很久以前，有一个星球撞击地球北极地区，首先撞击出了深凹的北冰洋，这个撞击力透过地心，传到地球的另一端南极地区，形成了凸起的南极洲大陆。这个"假说"至今还未得到科学证实。也许，今天在座的同学们中将来会有人来证实它的正确与否。但你们千万不要讥笑提出这个推测的人，因为历史上曾经有过类似的"假说"为后人所证实。这就是我要讲的关于地球的"板块学说"。

什么叫做地球的板块学说？那就是，当今我们从地图上看到的几大洲，都是组成地球的几大板块，即是说，地球是由几大板块拼成的。这个学说是当今地球科学中的基本学说。然而，首先提出这个"假说"的并非地质学家，也非地球物理学家，而是德国的气象学家卫·格勒。200多年前，德国气象学家卫·格勒伏案看世界地图，偶然发现欧亚大陆、美洲、大洋洲、澳洲和南极洲等大陆可以很好地连在一起，成为一个整体。于是他就提出一个假说，认为地球最早是一个板块，后来才逐渐分开的。当时他遭到一些人的讥笑，直到他去逝之前都没有人承认他的假说。他去逝后，科学家们经过考察和论证，确认地球曾经是一个板块。至此，卫·格勒的假说得以证实。

下面讲一个有趣的现象，是北极地区的奇趣。说到这儿，我想先提一个问题：你所了解的北极是什么样子？（有人说"冰天雪地"，有人说"非常寒冷"）看来，大家知道了北极的主要面貌是冰天雪地，这没有错。我今天要讲的却是大家不了解的一个特征，那就是北极"冰雪世界中的绿洲"。

讲座丛书

夏天，如果你乘船沿着挪威海向北航行，到达挪威本土最北端后，折向西北偏北方向，沿着斯瓦尔巴德群岛的西海岸，一直向北，到达北纬80度附近。途中，在挪威本土北部的北极地区，沿岸绿树青山；峡湾深处的内陆，青山绿树仍然处处可见。当你来到斯瓦尔巴德群岛的西海岸时，这儿已位于北纬77度以北，但在深蓝色的洋面上几乎看不到像在南极同纬度海域的浮冰；若你乘的船在朗伊尔城（北纬78度13分）或新奥尔森（北纬78度55分）靠岸，你登陆后，便可看到一片片绿色的草地，草地中的虎尔草盛开着红色和粉红色的精美花朵，洁白的雪莲花在疾风中兀立……你真不敢相信，这儿就是北极！然而，这儿的的确确是北极！

为什么会有这种冰雪世界中的绿洲呢？原来，这儿有一股北大西洋暖流，它把低纬度的温暖的海水向北输送，把海水所含的热量向北输送，使得它流经之处下雨多，气温高。比如，在北极斯瓦尔巴德群岛地区（北纬74度到81度）的气温比同纬度其他地区高 15 到 20 摄氏度。因而,在挪威北部的北极地区(北纬 67 度到 70 度),森林密布;在斯瓦尔巴德群岛上,绿草和鲜花都可见到。而在与上述地区同纬度的格陵兰岛却是一片冰雪世界。所以说,上面提到的受北大西洋暖流影响的地区,真是北极冰雪世界中的绿洲。

最后,讲一讲雅鲁藏布大峡谷的奇趣。

在雅鲁藏布大峡谷地区,由于受雅鲁藏布江水汽通道作用的影响,印度洋的暖湿水汽源源不断地向西藏东南部地区输送,使得藏东南地区的气候环境出现了非常特殊的现象。例如,世界最大的降水带分布在布拉马普特拉河——雅鲁藏布江流域,世界最北的热带气候带和自然带分布在雅鲁藏布大峡谷,世界上濒临绝种的古老物种生存繁衍在雅鲁藏布大峡谷,世界上最丰富的水能资源、稀有的生物资源分布在雅鲁藏布大峡谷……

同学们可以对比一下雅鲁藏布江水汽通道作用与北大西洋暖流对热量的输送作用,两者确实有不少相似之处。看来,地球村里发生的事情的确都有一定的内在联系啊!希望同学们下去思考。

(演讲时间:2001 年 3 月 17 日)

(录音整理:吴洁)